10/20/97

DATE DUE			
GAYLORD			PRINTED IN U.S.A.

DECORACION DE COMEDORES

Título original en inglés:
Decorating for Dining & Entertaining
© Cy Decosse Incorporated, 1994
© Lerner Ltda.
© Ediciones Monteverde Ltda., 1996
  Para la edición en castellano
  Calle 8B No. 68A-41
  A.A. 8304 - Tel.: 4200650 - Fax: (571) 2624459
  Santafé de Bogotá, D. C. - Colombia

Equipo editorial para la versión en castellano

Director general: Jack A. Grimberg Possin
Vicepresidenta: Dalia de Grimberg
Gerente editorial: Fabio Caicedo Gómez
Directora editorial: Martha Forero Sánchez
Traducción: Jesús Villamizar Herrera
Jefe de arte: José Miguel Delgado Meléndez
Armada electrónica: Bellany Villamil F.
Coordinador de producción: Alberto Arévalo

ISBN: 958-9345-76-X
Versión en castellano

Impreso por Lerner Ltda. ✦
Santafé de Bogotá, D. C. - Colombia

Impreso en Colombia
Printed in Colombia

DECORACION DE COMEDORES

128 proyectos e ideas

EDICIONES

MONTE VERDE

CONTENIDO

Comidas para ocasiones especiales

Mantelería

Accesorios decorativos para la mesa

Decoración del comedor

DECORACION PARA COMIDAS Y REUNIONES SOCIALES

Una fiesta tradicional en el comedor o una reunión social a media luz en la terraza evocan agradables recuerdos

Incluso un *barbecue* en el jardín interior puede ser un acontecimiento especial cuando se organiza con estilo. Además de una buena comida y agradable conversación, un ambiente acogedor y un arreglo creativo en la mesa pueden hacer de su reunión una fiesta para recordar.

El comedor es un sitio maravilloso para la reunión de la familia y los amigos y para que la rutina diaria se detenga por un momento. Aunque casi todos los comedores son de estilo formal, no hay que temer el romper con la tradición y decorarlo para reflejar nuestra personalidad. Aun cuando nuestra casa no tenga un comedor, se puede crear un sitio especial para comer colocando una mesa en un rincón de la sala, cerca de la cocina o incluso en una terraza cubierta.

Arreglemos la mesa de tal manera que refleje nuestro estilo y estado de ánimo. Una hermosa combinación de encaje y lino, vajilla y cristalería, crea el ambiente para una comida formal. Por el contrario, una vistosa frazada mexicana, usada como mantel y combinada con terracota y loza de barro, puede significar una fiesta informal.

Toda la información de este libro ha sido comprobada; pero como los niveles de destreza y condiciones varían, la editorial no se hace responsable por resultados no satisfactorios. El lector debe seguir las instrucciones de los fabricantes sobre utensilios y materiales que se utilicen en estos proyectos. La editorial no se hace responsable de cualquier lesión o daño por el uso inadecuado de herramientas, materiales o de la información que se ofrece aquí.

EL COMEDOR

El comedor ya no se utiliza únicamente para ocasiones formales. Para darle mayor uso a esta habitación, se puede decorar al estilo tradicional o algo más informal, adecuándolo para ocasiones especiales o reuniones familiares.

Incluso un comedor con elegantes muebles tradicionales, arreglos de ventanas y accesorios luminosos, puede parecer menos formal si se cambia el mobiliario y los aditamentos del cuarto. Se empieza escogiendo candelabros de cerámica en lugar de los de cobre, por ejemplo, y usando individuales de algodón en lugar de un mantel decorado con tapicería. El comedor que aparece al frente tiene un aspecto formal con telas finas y accesorios de lujo. El mismo salón tiene un aspecto más informal en las págs. 10 y 11.

ELEGANTEMENTE FORMAL

Materiales refinados y suntuosos dan una sensación de elegancia a un cuarto. La tapicería y los damascos utilizados para manteles de lujo se combinan con accesorios de laminilla dorada, plata y bronce. Se prefieren las flores frescas para un centro de mesa, pues éstas dan un aire muy elegante y refinado.

Las maderas de cerezo y caoba se usan con frecuencia en comedores tradicionales. Si los muebles del comedor no son formales, quedaría más elegante para una ocasión especial utilizar bandejas de servicio y accesorios de cerezo, caoba o lacados.

En el comedor unos cuantos muebles pequeños pueden reflejar la formalidad de los accesorios usados en la mesa. Un par de lámparas tradicionales de mesa se puede colocar simétricamente en el bufé. Y una mesa semicircular se podría cubrir con una fina carpeta adornada con flecos de seda.

Algunos elementos de los que aquí aparecen se pueden hacer siguiendo las instrucciones de este libro:

1. *Manteles básicos para la mesa (pág. 39).*
2. *Servilletas dobladas como mitra de obispo (pág. 42).*
3. *Carpetas de mesa en tapicería (pág. 51).*
4. *Carpetas de mesa con flecos de seda (pág. 54).*
5. *Carpeta para bandeja o charol (pág. 66).*
6. *Arreglos florales en candeleros (pág. 74).*
7. *Accesorios de laminilla de oro (pág. 93).*
8. *Platos de fondo (pág. 96).*
9. *Tarjetas (pág. 104).*
10. *Festones sesgados (pág. 116).*

(continúa)

EL COMEDOR
(CONTINUACION)

MENOS FORMAL

El ambiente para un comedor informal se logra con manteles llenos de colores, vajilla en cerámica y accesorios en material rústico. Hay que abandonar la idea tradicional para poner la mesa con la invariable colocación de vajillas y cristalería; este cambio le dará, instantáneamente, una atmósfera más relajada.

Experimentemos con otras ideas más descomplicadas que rompan las reglas, tal vez usando los apliques de luz de pared adornándolos con unas ramas de hiedra o utilizando una carpeta turca como camino en la mesa lateral. Escoja un estilo casual como el del Oeste y de inmediato logrará un ambiente informal.

Cuando se usa el comedor formal para reuniones informales, hay que bajar el tono del salón reduciendo al mínimo las características elegantes e introduciendo accesorios que ofrezcan un estilo más casual. Eliminar piezas muy elegantes, como candelabros de bronce y remplazarlos por piezas en cerámica, madera o hierro. Si los muebles del comedor son demasiado formales, minimizar la apariencia cubriendo la mesa con un mantel decorativo. Piense en remplazar los cuadros tradicionales y espejos por una obra de arte abstracto.

Algunos elementos que aquí aparecen se pueden hacer siguiendo las instrucciones de este libro:

1. Servilletas sencillas (pág. 39).
2. Individuales hexagonales (pág. 58).
3. Centro de mesa con frutas frescas (pág. 80).
4. Veladoras con piedras de vidrio (pág. 86).

5. Accesorios envejecidos de laminilla de oro (pág. 93).
6. Argollas para servilleta (pág. 100).
7. Cenefa de puntas triangulares (pág. 120).

OTRAS AREAS PARA COMER

Las comidas no se sirven únicamente en el comedor. También se utilizan otras áreas de la casa. Aun cuando se tenga la fortuna de poseer un comedor separado, no siempre puede ser lo suficientemente grande para acomodar un gran número de invitados. A veces es preferible atender fuera del comedor, sencillamente por variar.

En algunas ocasiones, tal vez deseemos servir una comida completa en otro sitio o prefiramos servir aperitivos en un lugar y la comida principal en otro y cambiar de sitio para los postres. Si busca otras modalidades, por qué no aprovechar una chimenea alegre, una terraza con brisa o un paisaje especial, según el tiempo y la ocasión.

Para grandes recepciones, el bufé se puede instalar en el comedor y las mesas para los invitados estarán colocadas en las habitaciones de la casa. No es necesario sentar a todos los huéspedes en el mismo sitio. En realidad, casi siempre resulta más interesante poner mesitas en diferentes cuartos y hacer grupos pequeños de conversación.

LA SALA PRINCIPAL

La sala generalmente se usa para recibir invitados. Se puede optar por servir aperitivos en la sala mientras se están completando los preparativos para el plato principal en el comedor. O para romper la rutina, los invitados pueden retirarse a la sala después del plato principal de una comida formal, donde se servirán los postres y café de una manera más informal. Para un coctel se pueden organizar los pasabocas al estilo bufé sobre una mesa lateral.

En muchos hogares la sala da directamente al comedor, lo cual facilita poner el bufé sobre la mesa del comedor mientras los invitados se reúnen en la sala. Si los invitados deben sentarse a la mesa, con frecuencia se utiliza una división para crear un ambiente más íntimo para comer. Esto permite retirarse a la sala dejando el arreglo de la mesa para más tarde.

(Continúa)

Una comida pequeña se puede servir en la sala utilizando una mesa plegable cubierta con un mantel.

Una reunión estilo picnic en el piso frente a la chimenea es una forma divertida de atender a los invitados en los días lluviosos.

Una mesa de café con cojines sobre el piso es una alternativa agradable e informal para recibir a los amigos.

OTRAS AREAS PARA COMER (CONTINUACION)

EL PATIO O LA TERRAZA

El patio o la terraza son una buena alternativa para el comedor formal. Con frecuencia usados para comidas informales estilo picnic, el patio o la terraza también pueden servir para un almuerzo lleno de imaginación en pleno día o para una comida elegante al caer la tarde.

LA SALA DE TV, LA BIBLIOTECA O EL ESTADERO

La sala de TV. se ha convertido en un lugar importante de reunión para familia y amigos, donde se acostumbra servir bocadillos y comidas ligeras en un ambiente informal y cómodo. Si hay una biblioteca o un estadero, podemos organizar allí un sitio acogedor para conversar. Por ejemplo, unas cuantas sillas abolladas que rodeen una mesita de la biblioteca pueden convertirse en el lugar perfecto para los entremeses o el postre. Y cuando se atiende una reunión social grande, pensemos en organizar una mesa en la biblioteca o el estadero, de modo que los invitados se separen en pequeños grupos más íntimos.

La terraza (derecha) ofrece una atmósfera especial para reuniones nocturnas.

La comida en la sala de TV. (abajo) empieza con un bufé informal en la cocina.

LA ALCOBA

El desayuno en la cama, se ha dicho desde hace tiempo, es una forma sibarítica de empezar el día. Cuando se prepara una bandeja de desayuno, hay que servir alimentos fáciles de comer, como croissants y fresas frescas. Para un acontecimiento especial, se utilizan platos de fantasía y servilletas de lino y una o dos sorpresas como una flor fresca o una tarjeta especial.

Para desayunos sentados y más cómodos, se puede colocar una mesita en la alcoba. Cuando se está preparando una sorpresa para el cónyuge o atendiendo huéspedes, un desayuno debe ser ocasión especial y bien vale la pena un esfuerzo extra. La alcoba puede ofrecer un sitio tranquilo para una taza de café temprano en la mañana y los huéspedes pueden también apreciar unos bocadillos sabrosos a la hora de acostarse.

El desayuno en la alcoba *es una forma especial de empezar la mañana. Los colores vistosos dan un aspecto fresco y alegre a la mesa del desayuno.*

Comidas para ocasiones especiales

INVITACIONES

1. Come GROOVE with the Bennett's to the Platinum sounds of the 1960s

2. Saturday, Oct 20th, 7:30 p.m.

3. Manchester Village East 5948 Willis Road

4. Dress appropriately in very cool duds

5. Prizes will be awarded for best outfits—

ELIZABETH

MADE IN U.S.A FOR BENNETT ENTERPRISES INC.

Una invitación muy personal indica inmediatamente un acontecimiento especial. Las invitaciones creativas aumentan las expectativas de los invitados y el proceso de hacer las invitaciones puede motivar a los dueños de casa para unos preparativos especiales con destino a la reunión. El estilo de la fiesta puede inspirarse en un tema escogido para la reunión o en el colorido de la decoración de la mesa.

IN ANTICIPATION of SLEEPLESS NIGHTS

Los discos antiguos sugieren la escena para una fiesta con el tema de los sesenta. Pegue papel fuerte en el centro del disco. Para enviar la invitación por correo envuélvala en papel marrón o utilice un sobre grande acolchonado.

Pañal y camiseta invitan a una lluvia de regalos para bebé. Los detalles se escriben en la camiseta tarjeta.

On Sunday, November 20th at 6:00 p.m.

THE PILGRIMS WILL BE GATHERING AT THE GILBERTS' HOUSE

5960 York Avenue

Una calabaza tiene la invitación para una fiesta de vecinos escrita allí directamente. Hay que entregar las invitaciones de calabaza puerta a puerta.

La huella de la mano de un niño decora el frente de una invitación para una fiesta de cumpleaños.

(continúa)

INVITACIONES (CONTINUACION)

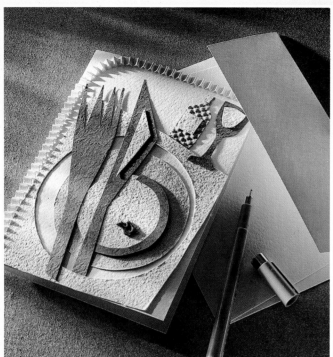

Envolver como si fuera un regalo una tarjeta de cartón. Se escriben los detalles de la invitación en una tarjeta adjunta.

Unos recortes de papel organizados a manera de collage y fijados a la tarjeta con solución de caucho, se convierten en una atractiva invitación para una comida.

Se entrelaza una cinta y luego se hace un lazo para asegurar el sobre de la invitación. La cinta también se entrelaza en un extremo de la hoja del papel de carta.

Una ramita de enebro se amarra al sobre para una invitación de navidad con cinta dorada. La cinta se inserta por dos ranuras hechas en el sobre. Para escribir los nombres de los invitados se usa tinta dorada.

Una bomba con una invitación enrolla-da adentro; se debe reventar con un alfiler. El alfiler se pega con cinta a la bomba.

CENA DE ACCION DE GRACIAS

Una comida formal estilo familiar con frecuencia trae a la mente muchos recuerdos de la infancia. Con una mezcla de reliquias heredadas y accesorios nuevos para la mesa, la tradicional cena familiar puede adquirir un aspecto muy agradable.

La tradicional cena familar *(derecha) da una sensación de calor humano creado por los colores cálidos y la variedad de texturas de los accesorios de la mesa. La riqueza de las maderas, desde el color natural hasta el lavado (pág. 97), se combina con carpetas (pág. 51), veladoras con guirnaldas de vid (pág. 87) y argollas para servilletas hechas de guirnaldas miniatura de vid. Un centro de mesa en cornucopia (pág. 78) complementa el ambiente festivo pero hogareño.*

Piezas antiguas *(izquierda) combinan bien con vajillas modernas para evocar recuerdos agradables de años pasados mientras dan a la mesa un aspecto nuevo.*

Fotografías enmarcadas *de miembros de la familia sirven como tarjetas para indicar el sitio e inspiran también conversaciones estimulantes.*

Una guirnalda de vid *(izquierda) se embellece con hojas disecadas, frutas de látex y plumas de faisán, creando un accesorio de otoño para la pared del comedor.*

Festones sesgados *(pág. 116) aquí resaltan los lazos de cinta y ramas de pino repitiendo así la decoración de la mesa.*

Cajas envueltas en papel de regalo *(izquierda) crean distintas alturas. Una caja envuelta, abierta y con la tapa hacia un lado, sostiene las servilletas enrolladas y atadas con cintas.*

BUFE DE NAVIDAD

Celebre las fiestas de fin de año invitando unos amigos a su casa. Los puede recibir informalmente a cualquier hora o invitarlos a un bufé de nochebuena. La elegancia y la exquisitez del color vino tinto y oro hacen más festiva la mesa del bufé. Una combinación de luces de navidad y velas agrega un cálido esplendor que acentúan estos colores suntuosos.

La mesa del bufé se decora con festones drapeados, cajas envueltas y ramas verdes, todo destacado con cintas de color vino tinto y oro para lograr un ambiente coordinado. Las luces de navidad y las veladoras se colocan en varios sitios para agregar un cálido esplendor. Los candelabros de bronce se decoran con ramas verdes, sostenidas en espuma floral, como en la pág. 75.

Una ponchera rodeada de una guirnalda de cedro, se coloca en una mesa lateral para evitar congestión en la mesa principal del bufé. La corona se adorna con luces de navidad para acentuar el brillo dorado de la ponchera.

Individuales *de hojas y flores esparcidas rodean los platos. Una cinta de cabello de ángel se amarra en un lazo alrededor de las servilletas. El motivo del jardín se repite utilizando vajilla de porcelana y cubiertos con delicados patrones florales.*

ALMUERZO AL AIRE LIBRE

Se puede atender unos cuantos amigos especiales en una terraza o patio elegantemente adornados y rodeados por la naturaleza. El ambiente campestre de una reunión en un jardín se refleja en la mesa, adornada con flores frescas y hojas que hacen de mantel, individuales y servilletas para las bandejas. Para destacar más el motivo del jardín, se pone una vajilla con adornos florales.

El ambiente de jardín (izquierda) *se crea con follaje y flores en la mesa. Una bandeja de pie se cubre con una carpeta de hojas arregladas en círculo; la bandeja se usa para servir caramelos envueltos. Arreglos florales individuales complementan el ambiente.*

El arreglo floral para cada puesto se puede hacer fácilmente insertando miniclaveles en espuma floral, trabajando del centro hacia afuera y luego uniendo los tallos con una cinta.

Un mantel de hojas cubre una mesa lateral. Se pueden comprar hojas naturales en una floristería o usar hojas grandes como de arce, roble u hortensia que se cultiven en el jardín de la casa. Para hacer el mantel sencillamente se pegan las hojas con pegante.

PICNIC EN EL JARDIN INTERIOR

El verano es la mejor época para recibir un grupo de amigos si tenemos un jardín. Podemos utilizar accesorios simples en la mesa que estarán más de acuerdo para servir alimentos sencillos y lograr una atmósfera tranquila y despreocupada.

Si se trata de una reunión grande, tal vez sea necesario pedir prestados asientos y mesas a los amigos o alquilarlos. Las mesas, aunque no hagan juego en tamaños y formas, se pueden unificar con manteles que coordinen.

La mesa del bufé tiene una variedad de canastas, que se usan para servir los alimentos. Veladoras envueltas en hojas de rafia (pág. 87) mantienen velas de citronela para espantar los insectos. Tazas y platos unos sobre otros se colocan en una mesa separada donde, en un sencillo portacubiertos de algodón (pag. 63), se organizarán los cubiertos.

Mesas pequeñas, para sentar cuatro o cinco invitados, tienen manteles apropiados con diferentes estampados puestos sobre manteles más grandes que hacen juego. En cada sitio se dobla informalmente una servilleta en forma de mariposa (pág. 42) y se amarra con cinta de cabello de ángel. En cada mesa se colocan botellas llenas de flores silvestres.

Esquineros pesados (derecha) evitan que se vuelen los manteles y agregan un toque original. Para las pesas se pueden utilizar elementos novedosos como imanes de refrigerador, colgados de una cuerda, aparejos de pesca o agarraderas.

La entrada al jardín interior se decora con tiovivos, plantas en tarros y un aviso hecho a mano que dé la bienvenida a los invitados.

Una lona grande colgada entre los árboles forma una tolda que ofrece abrigo y sombra.

CENA DESPUES DEL TEATRO

Después de un acontecimiento especial, como ir al teatro o a un concierto, se puede completar la velada con una cena íntima. Dé mayor resplandor y brillo con espejos, veladoras y toques de oro, y para mayor contraste use accesorios de laca negra o cerámica. Para poder gozar la compañía de sus invitados, sirva alimentos que tenga a la mano y postres preparados con anticipación.

La mesa de café (derecha) con asientos cómodos debe arreglarse con espejos, veladoras y recortes de papel de aluminio, que producen brillo de gran impacto. Para completar el ambiente, los floreros se han llenado de tallos florales.

Los ramilletes metálicos remplazan las flores. Las canicas en los floreros ocultan los tallos.

FIESTA DE CUMPLEAÑOS PARA NIÑOS

El cumpleaños de los niños se celebra con una reunión sencilla para unos cuantos amiguitos. Hay que planear una reunión donde los niños disfruten, concentrándose en actividades propias de la edad del que cumple años. Si son niños pequeños la reunión debe ser breve y con pocos invitados.

Para una diversión sin contratiempos, se arregla la mesa en la cocina, el jardín o el patio interior. Las decoraciones desechables y económicas de la mesa reducen al mínimo el trabajo y los niños las disfrutan igualmente.

Dulces, lápices de colores y bombas *para una decoración instantánea en la fiesta de un niño; incluye unas materas llenas de colombinas, argollas de servilleta hechas con chupetas (pág. 101), dibujos en los individuales y una pancarta en la pared. Como obsequio para los invitados, se amarran bombas al respaldar de las sillas y baldes pequeños se llenan con regalos. Una zorra nueva del jardín se llena con los regalos que han traído a la fiesta.*

La pancarta en la pared se empieza antes de la fiesta. Los niños la terminan con sus propias obras de arte.

Las franjas de los individuales se dibujan en papel antes de la fiesta. Los niños personalizan sus individuales con dibujos originales.

Colombinas puestas en un recipiente crean un centro de mesa fácil de hacer y se puede repartir entre los invitados. Sencillamente se llena la matera con espuma de icopor, se cubre la espuma con musgo y se insertan los palitos.

CENA CON ESTILO INTERNACIONAL

El plan del menú a veces puede sugerir un tema para el estilo de la mesa, en especial para una cena étnica. Los menús italianos y mexicanos pueden insinuar cenas coloridas estilo bufé con muchas opciones. Un menú oriental sugiere sentar a los invitados alrededor de una mesa baja en el piso, sobre cojines, para que puedan usar los palillos chinos y disfrutar de la ceremonia del té.

«Fiesta estilo Italiano»
Mayo 28 7:00 p.m.
¡Gracias!

En un bufé italiano se destacan banderitas italianas y caminos de mesa rojos, verdes y blancos. Un diseño a cuadros en una bandeja de madera que semeje una servilleta a cuadros y sobre la mesa se organiza una guirnalda de vid. El nombre de cada entrada se escribe en un pedazo de lasaña sin cocinar. Para realzar el ambiente, usar vinos italianos, jarras llenas de espaguetis, ladrillos para colocar las bandejas calientes y cristalería verde.

*Todo desde suave a picante...
Una fiesta Mexicana que le dará a sus
pasabocas una razón para ponerle salsa
Comida y entretenimiento hasta media noche.*

El bufé mejicano *se caracteriza por sus grandes platos de terracota y bandejas para
servir, platos llenos de colores en canastas, argollas para servilleta adornadas con
muñequitas, maracas, artículos de hojalata y una sillita mejicana. Pimientos dulces y de Jalapa,
como el centro de mesa con frutas frescas de la página 80, se arreglan en una vasija de pie.*

El ambiente oriental *se
crea con una mesa de
café y cojines para
sentarse en el suelo. Se
usa papel de arroz en
rectángulos para hacer
los individuales y se
amarran hojas de
palma alrededor de los
palillos chinos. La
vajilla y las servilletas
reflejan el motivo
oriental y al arreglo de
la mesa se le agrega un
bonsai.*

*EL EXPRESO DE
ORIENTE PARARA
EN SU SALA EL
JUEVES 25 DE AGOSTO
A LAS 6PM
MANOS SI...CUBIERTOS NO*

Mantelería

MANTELES BASICOS

Para mayor variedad, haga una selección de manteles básicos que incluyan unos redondos, cuadrados y ovales, así como también individuales y servilletas de varios colores. Cosiendo nuestros propios manteles, podemos hacer tamaños y formas a la medida para las distintas mesas incluyendo las ovaladas.

Para la mantelería tal vez prefiramos telas de decoración durables y resistentes que hayan sido tratadas para repeler las manchas y el agua. Usted puede evitar coser manteles grandes si compra una tela ancha de 183 cm (72"), que se consigue fácilmente. También puede lograr el ancho de la mesa agregando una cenefa extra al mantel como en las págs. 51 a 53. Los manteles redondos con frecuencia son cosidos, pero la costura queda en el pliegue de la tela que cae al lado del mantel, haciéndola menos notoria.

Seleccione telas anchas para manteles, recortando un mantel comprado ya hecho, que se ajuste al tamaño real y a la forma de la mesa, en lugar de usar tela angosta.

Se determina la longitud y ancho del mantel midiendo la parte superior de la mesa en ambas direcciones. Luego se agrega dos veces el largo de la caída o vuelo a esta medida. Los largos de caída van desde 20,5 cm (8") hasta llegar al suelo, con largos de caída entre 25,5 y 38 cm (10" y 15").

Los individuales tienen un tamaño desde 30,5 x 43 cm (12" x 17") hasta 35,5 x 48,5 cm (14" x 19"). Se terminan con un dobladillo sencillo o borde como en las págs. 40 y 41. O para un aspecto más decorativo, seleccione entre los estilos de las págs. 51 y 58.

Las servilletas son de tamaño grande: de 38 cm^2 (15") para el almuerzo y de 46 cm^2 (18") para la cena. Las servilletas de buen tamaño protegen mejor y facilitan la hechura de los dobleces (pág. 42) .

Lo importante en la hechura de un bonito mantel, individual o servilleta es terminar los bordes. Para mayor facilidad, se plancha un dobladillo angosto, se juntan al sesgo las esquinas cuando se trata de manteles cuadrados y rectangulares y se cose el dobladillo con máquina de coser convencional. También se pueden terminar los bordes de los manteles con una ribeteadora de tres hilos.

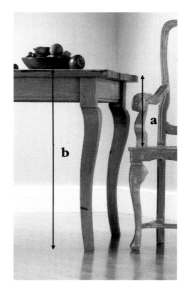

El largo de la caída es la distancia que cuelga el mantel desde el borde de la mesa. Si queremos que la caída deje ver los asientos de las sillas y cuelgue libremente **(a)**; esta caída medirá de 20,5 a 25,5 cm (8" a 10"). Para un aspecto más formal, la caída es mayor. Los manteles que caen o cuelgan hasta el piso **(b)** son muy elegantes.

COMO CORTAR UN MANTEL REDONDO

1 Mida el diámetro de la mesa redonda; agregue dos veces el largo de la caída, para determinar la medida del mantel terminado. Corte la tela 2,5 cm (1") más grande que este tamaño; junte dos anchos de la tela, si es necesario y planche la costura abierta. Doble la tela por la mitad longitudinal y trasversalmente. Coloque los alfileres.

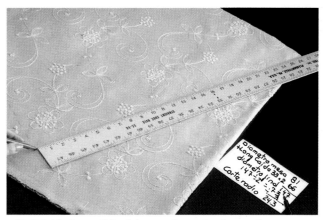

2 Divida la medida del mantel terminado por dos y agregue 1,3 cm (1/2") para determinar el radio del círculo cortado. Marque un arco, usando regla recta y lápiz, midiendo desde el centro de la tela doblada, una distancia igual al radio. Corte sobre la línea marcada todas las capas.

COMO CORTAR UN MANTEL OVALADO O DE OTRA FORMA

1 Mida la longitud y el ancho de la mesa en los puntos más largos; agregue dos veces el largo de la caída. Corte un rectángulo de tela por lo menos 2,5 cm (1") más grande que este tamaño, junte los anchos de la tela si es necesario y planche las costuras abiertas.

Mesa 142 x 101
doble 20 Long. Caída = 40
142 + 40 + 2 = 184
101 + 40 + 2 = 143
Corte 184 x 143

2 Coloque la tela sobre la mesa, centrada longitudinal y trasversalmente; ponga un peso sobre la tela. Mida y marque alrededor del mantel la longitud de la caída deseada más 1,3 cm (1/2"). Corte sobre la línea marcada.

COMO HACER DOBLADILLOS ANGOSTOS EN MANTELES USANDO LA MAQUINA DE COSER

INSTRUCCIONES PARA CORTAR

Corte el mantel, individual o servilleta 2,5 cm (1") más grande que el tamaño deseado, juntando los anchos, si es necesario, para manteles grandes.

1 **Manteles rectangulares o cuadrados.** Planche hacia adentro 1,3 cm (1/2") el borde de la tela. Doble diagonalmente de modo que quede recto el doblez con la esquina. Planche. Corte la esquina.

2 Haga dos veces el dobladillo de 6 mm (1/4"). Planche.

3 Cosa el dobladillo cerca del pliegue interior, usando puntada recta en la máquina de coser; no cosa las puntas de las esquinas.

1 **Manteles redondos u ovalados**. Cosa alrededor del círculo o del óvalo a unos 6 mm (1/4") escasos del borde. Doble y planche la tela a lo largo de la línea de costura.

2 Doble y planche la tela de nuevo para hacer un dobladillo doble aflojando la tela sobrante. Cosa el dobladillo cerca del pliegue interior, usando puntada recta en máquina de coser.

1 Manteles rectangulares o cuadrados. Coloque la fileteadora para sobrepuntar con 3 hilos, enhebrando en ambos enlazadores de la máquina hilo de nylon si se desea, para una costura más pulida use hilo regular en la aguja. Fije el ancho de la puntada en 4 a 5 mm y la longitud de la puntada a 1 mm. Ensaye la calidad de la puntada en una muestra de la tela; tensione, si es necesario.

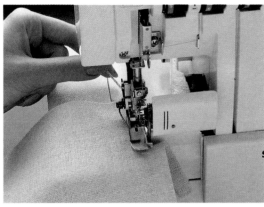

2 Cosa un lado de la tela y luego por el lado opuesto, manteniendo la cadena trasera tensa cuando empiece a coser; recorte 1,3 cm (1/2") con la cuchilla. Deje largos los extremos de la cadena.

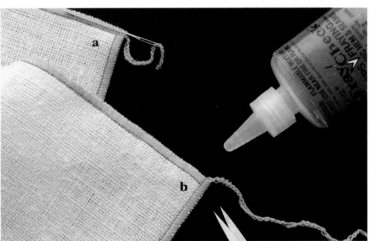

3 Cosa los dos lados restantes de la tela como en el paso 2. Enhebre la cadena trasera por el ojo de una aguja de tapicería y entrecruce por el revés entre las puntadas de 2,5 cm (1") **(a)**; para rematar corte la hebra restante de la cadena trasera o aplique antideshilachador líquido en las puntas **(b)**; deje secar y recorte la punta de la cola.

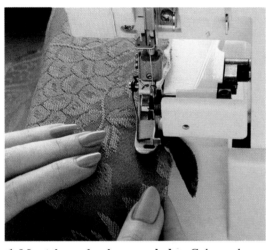

1 Manteles redondos u ovalados. Coloque la fileteadora como en el paso 1, anterior. Cosa alrededor del mantel recortando 1,3 cm (1/2") con la cuchilla de la fileteadora; al principio cosa sobre el borde de la tela en un ángulo.

2 Superponga las costuras anteriores en 2,5 cm (1") en el extremo. Levante el pie prensador y cambie la tela de modo que quede detrás de la aguja. Cosa directamente por el borde de la tela como se ve; continúe cosiendo dejando una cadena trasera larga (el pie del prensador se ha quitado para indicar la posición de la aguja).

3 Aplique el antideshilachador en la punta de la cadena. Corte la cadena cerca de las puntadas.

FORMAS DE DOBLAR SERVILLETAS

Es más atractivo en las comidas y bufés formales doblar las servilletas de una manera llamativa. Ensaye diferentes formas para distintas ocasiones y así varíe continuamente el aspecto de la mesa. En las siguientes páginas se encuentran varias formas, por ejemplo, estilo restaurante, estilo de abanico o mariposa. También una forma que sirve para poner los cubiertos.

En forma de flor de lis

En forma de mitra de obispo

En forma de mariposa

Portacubiertos con pliegue horizontal

En forma de
abanico entre
la copa

En forma
de abanico
sobre la mesa

Con doblez
al sesgo

Pliegue
de puntas
volteadas

Pliegue de puntas
escalonadas

Portacubiertos
con pliegue
diagonal

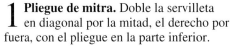

1 **Pliegue de mitra.** Doble la servilleta en diagonal por la mitad, el derecho por fuera, con el pliegue en la parte inferior.

2 Acerque las dos puntas inferiores para que se encuentren arriba.

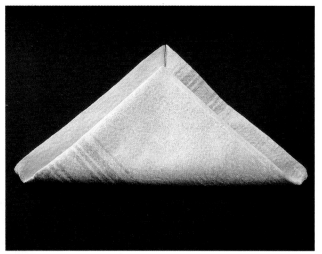

3 Doble la punta inferior de la servilleta a 2,5 cm (1") por debajo de la punta superior.

4 Doble hacia abajo la punta inferior de la servilleta hasta encontrar el pliegue inferior.

5 Doble las puntas hacia atrás y meta una punta en la otra (derecha), formando una base circular; póngala derecha. Esto completa la servilleta doblada en mitra, como se ve desde el frente (izquierda).

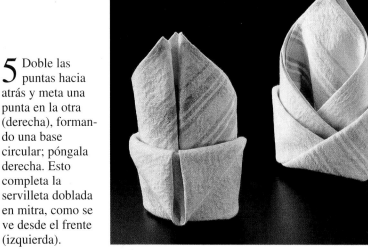

Pliegue de flor de lis. Siga los pasos 1 a 5, anteriores. Doble hacia abajo las dos puntas del frente, para formar la servilleta como flor de lis.

PLIEGUE LEVANTADO AL SESGO

1 Doble la servilleta por la mitad diagonalmente, el derecho hacia afuera, con el pliegue en la parte inferior.

2 Suba las dos puntas inferiores para encontrarse arriba.

3 Doble hacia abajo la mitad de arriba de la servilleta, hacia la parte de atrás.

4 Doble la servilleta por la mitad de nuevo, dejándola vertical.

PLIEGUE DE MARIPOSA

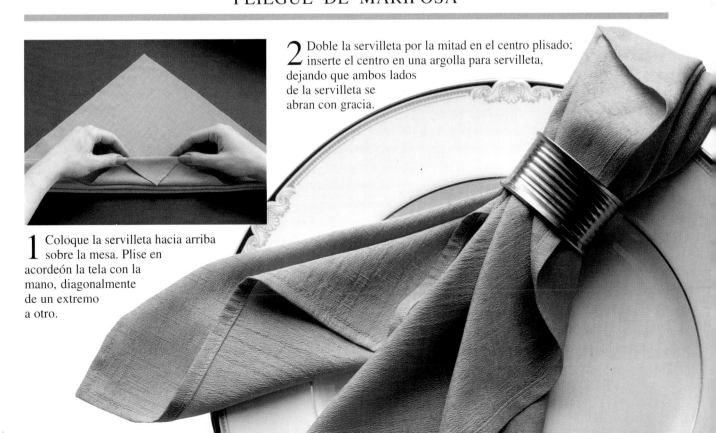

2 Doble la servilleta por la mitad en el centro plisado; inserte el centro en una argolla para servilleta, dejando que ambos lados de la servilleta se abran con gracia.

1 Coloque la servilleta hacia arriba sobre la mesa. Plise en acordeón la tela con la mano, diagonalmente de un extremo a otro.

1 Doble la servilleta por la mitad, por el derecho, con pliegue en la parte superior. Plísela en acordeón en las tres cuartas partes de la longitud, doblando hacia abajo el primer pliegue.

2 Termine plisando con pliegues en la parte inferior, ponga sobre la mesa y doble la sección no plisada a la derecha. Doble la mitad superior de la servilleta sobre la mitad inferior.

3 Sostenga derecha la servilleta con el extremo abierto de los pliegues mirando hacia arriba.

4 Doble la sección no plisada de la servilleta diagonalmente para formar como un pedestal; meta el pedestal como se ve y deje que los piegues se abran en abanico.

PLIEGUE DE PUNTAS ESCALONADAS

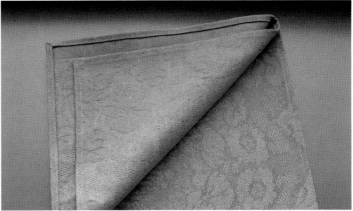

1 Doble la servilleta por la mitad, el derecho hacia fuera, con el pliegue arriba; doble de nuevo con las esquinas de la servilleta en el derecho inferior.

2 Doble otra vez la primera capa de la servilleta diagonalmente de modo que la esquina quede en la parte superior izquierda. Doble de nuevo la segunda capa a 2,5 cm (1") de la primera esquina.

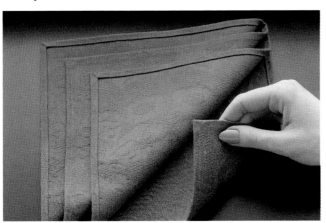

4 Doble los lados y coloque la servilleta horizontal sobre la mesa.

3 Repita con la tercera y cuarta capas, de modo que todas las esquinas de la servilleta se espacien a 2,5 cm (1").

PLIEGUE EN ABANICO ENTRE LA COPA

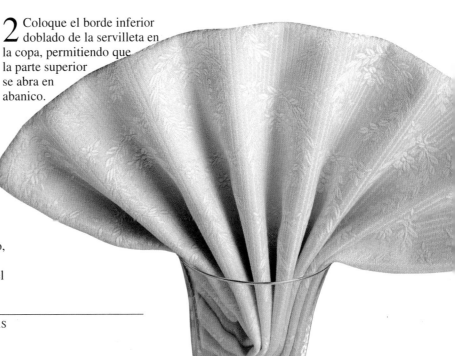

2 Coloque el borde inferior doblado de la servilleta en la copa, permitiendo que la parte superior se abra en abanico.

1 Doble la servilleta por la mitad, al derecho, con pliegue en la parte inferior. Plise en acordeón, doblando hacia abajo el primero y el último pliegue.

EL PLIEGUE DE PUNTAS VOLTEADAS

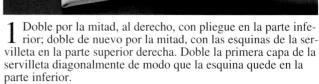

1 Doble por la mitad, al derecho, con pliegue en la parte inferior; doble de nuevo por la mitad, con las esquinas de la servilleta en la parte superior derecha. Doble la primera capa de la servilleta diagonalmente de modo que la esquina quede en la parte inferior.

2 Doble de nuevo la segunda capa de la servilleta de modo que la punta toque el pliegue del centro. Haga que la primera esquina de la parte inferior izquierda se encuentre con la segunda en el pliegue central.

3 Doble por debajo de los lados de la servilleta, doblando la servilleta en tercios. Colóquela sobre la mesa en posición vertical.

PORTACUBIERTOS DE PLIEGUE HORIZONTAL

1 Doble la servilleta por la mitad, al revés, con el pliegue en la parte inferior.

1 Doble la servilleta por la mitad, al derecho, con el pliegue en la parte inferior; luego doble de nuevo por la mitad, con los extremos de la servilleta en la parte superior derecha.

2 Doble la primera capa de la servilleta 5 cm (2").

3 Doble la misma esquina sobre sí misma dos veces, creando una banda diagonal en la servilleta.

4 Doble la segunda capa de la servilleta, metiendo la esquina en la banda diagonal y creando una segunda banda de 2,5 cm (1") de ancho.

5 Doble la parte superior e inferior de la servilleta en tercios. Colóquela horizontal sobre la mesa, volviendo la servilleta a posición vertical, con pliegues en la diagonal.

2 Doble una tercera parte de la capa superior de la servilleta hacia abajo, formando una banda central.

3 Dele vuelta a la servilleta. Doble hacia adentro los lados que se encuentren, doble los dos lados.

*El **individual** combina dos telas bordadas que coordinan y destacan las fajas de cenefas a los lados.*

Las telas de tapicería le imprimen elegancia al comedor. Como las telas de tapicería vienen con dibujos muy elaborados, es mejor usar para los manteles unos diseños más sencillos, como los manteles de tapicería y los individuales que aquí aparecen. Para simplificar la hechura y evitar un borde demasiado grueso, el forro del mantel se corta del mismo tamaño y se cose por los bordes. Para reducir el volumen se usa muselina para el forro o se escoge un algodón liviano en un color que combine con la tela de la cenefa.

Escoja el tamaño del centro del mantel y el ancho de la cenefa para poder calcular la cantidad de tela. Como este tipo de telas generalmente encogen bastante, se deben planchar al vapor ambas telas antes de cortar las piezas.

MATERIALES

- Dos telas de tapicería que combinen.

- Muselina u otro algodón liviano para el forro.

El mantel hace resaltar una cenefa ancha que ha sido cosida al sesgo en las esquinas.

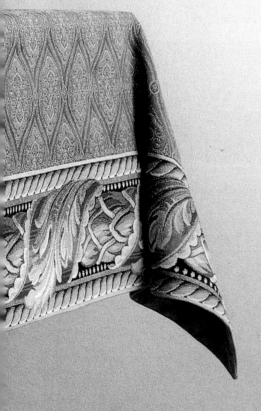

COMO COSER UN INDIVIDUAL CON TELA DE TAPICERIA Y CENEFA COMBINADA

INSTRUCCIONES PARA CORTAR

Escoja el largo y el ancho del individual; los individuales tienen un tamaño que va desde 30,5 x 43 cm (12" x 17") hasta 35,5 x 48,5 cm (14" x 19"). Para saber el tamaño del panel central, reste dos veces el ancho del borde; luego agregue 2,5 cm (1") que incluyan dos márgenes de costura de 1,3 cm (1/2"). El tamaño del corte del panel central a lo largo debe ser 2,5 cm (1") más largo que el tamaño deseado; este es el margen para las costuras.

Corte dos franjas para los bordes cada una 2,5 cm (1") más ancha que el ancho deseado de la cenefa y 2,5 cm (1") más larga que el tamaño acabado del individual.

Corte el forro como en el paso 2, abajo, después de haberse aplicado la cenefa.

1 Cosa las tiras del borde a los lados del panel central, haciendo costuras de 1,3 cm (1/2"). Planche las costuras abiertas.

2 Corte el forro 6 mm (1/4") más corto que el largo y el ancho individual, lo cual evita que el forro se salga por los bordes.

continúa)

3 Asegure con alfiler el forro al individual, uniendo los dos lados derechos y emparejando los bordes. Con el lado del forro hacia arriba, cosa 1,3 cm (1/2") en todos los cuatro lados, haciendo un pliegue diagonal en las esquinas. Deje una abertura en un lado para darle vuelta.

4 Corte los márgenes de las costuras diagonalmente en las esquinas. Planche el margen de la costura del forro hacia el forro. Planche por el derecho. Cosa a mano cerrando la abertura.

MANTEL CON TELA DE TAPICERIA Y CENEFA COMBINADA

INSTRUCCIONES PARA CORTAR

Determine la longitud y el ancho acabados del mantel, incluyendo el largo de caída, como en la pág. 39. Para determinar el tamaño del corte del centro, reste dos veces el ancho acabado deseado de la franja del largo y el ancho del mantel; luego agregue 2,5 cm (1") que incluyan 1,3 cm (1/2") de márgenes para cada costura.

Necesitará cuatro tiras de cenefa con el ancho cortado igual al ancho deseado de la cenefa más 2,5 cm (1"). Para determinar la longitud de las tiras de la cenefa, agregue dos veces el ancho de la cenefa más 5 cm (2") al corte lateral del centro del mantel; corte dos tiras de cenefa con base en el largo del centro del mantel. Corte el forro como en el paso 9, al frente, una vez aplicada la cenefa.

1 Marque el centro del mantel en la mitad de cada lado, por el revés y el de cada tira de cenefa.

2 Marque el centro del mantel en todas las esquinas, 1,3 cm (1/2") de cada borde, por el revés de la tela.

3 Fije con alfileres una tira de cenefa a un lado del mantel, los dos derechos juntos, empareje bordes y centros.

4 Cosa la tira de la cenefa al centro del mantel con costura de 1,3 cm (1/2"), empezando y terminando en las marcas de la esquina.

5 Doble el mantel diagonal en las esquinas, emparejando las costuras y los bordes de las tiras. Coloque una regla a lo largo del pliegue; dibuje con tiza la línea de costura al sesgo en el borde. Las costuras deben estar en ángulo de 45° con el borde.

6 Fije con alfileres y cosa la costura diagonal, empezando en el borde y terminando en la línea interna de la costura.

7 Corte los sobrantes de costura en las esquinas al sesgo a 1,3 cm (1/2"). Corte el centro del mantel diagonalmente en las esquinas de la costura de la cenefa. Aplique líquido para evitar las hilachas.

8 Corte los márgenes de costuras de las tiras de cenefa en las esquinas. Aplique líquido preventivo. Planche todas las costuras abiertas.

9 Corte el forro 1,3 cm (1/2") más corto que la longitud y ancho que la parte superior; esto evita que se vea el forro en los bordes. Termine el mantel como el individual, pasos 3 y 4, al frente.

CARPETAS CON FLECOS DE SEDA

Los flecos de seda adornan y les dan un toque elegante a las carpetas. Pueden estar cosidos alrededor de los bordes de las carpetas o en los extremos en ángulo para un camino de mesa. Los flecos se consiguen en acetato, rayón, algodón y metálicos así como en variedad de longitudes. Debido a que el borde del fleco se deshilacha rápidamente, siempre hay que aplicar líquido que evite eso al área que se va a cortar y dejarla secar antes de cortarlo.

La carpeta redonda tiene un aspecto lujoso cuando se adorna con los flecos. A la izquierda, una carpeta larga cae elegantemente sobre el piso.

Un camino de mesa
con flecos cae
graciosamente sobre
la mesa. Los extre-
mos del camino
tienen unos ángulos
interesantes.

**El mantel pequeño
cuadrado** con flecos,
se coloca en un
ángulo sobre la
mesa.

COMO COSER UN MANTEL REDONDO CON FLECOS

1 Determine el largo de caída deseado para el mantel; reste la longitud del fleco, excluyendo el borde superior. Sume dos veces esta medida al diámetro de la parte superior de la mesa redonda, para determinar el diámetro del círculo de la tela. Corte un cuadrado de tela al menos de este tamaño; una dos anchos de tela, si es necesario, y planche la costura abierta. Doble el cuadro de la tela por la mitad a lo largo y al través. Fije con alfiler las capas.

2 Divida la medida para el diámetro del círculo de la tela por dos, para determinar el radio. Marque un arco con regla y lápiz, y mida desde el centro doblado de la tela, una distancia igual al radio. Corte por la marca todas las capas.

3 Cosa alrededor del borde exterior del círculo de la tela usando zigzag o pespunte; si usa pespunte no corte el borde de la tela. Pegue con alfiler el fleco a la tela, con el borde de abajo a lo largo del borde de la tela; planche al vapor lo necesario para darle forma al adorno o flecos alrededor de la curva.

4 Doble a 2 cm (3/4") en los extremos del encabezamiento; empalme los extremos doblados. Cosa por la parte superior e inferior del borde del fleco.

COMO COSER UN MANTEL RECTANGULAR O CUADRADO CON FLECOS

1 Determine el largo de caída del mantel; reste el largo de la franja, excluyendo el borde del fleco. Sume dos veces esta medida al largo y ancho de la tapa de la mesa, para determinar el tamaño del corte de la tela. Una los anchos y planche las costuras abiertas.

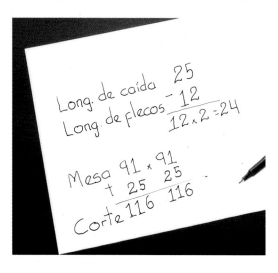

Long. de caída   25
Long. de flecos - 12
                  ————
                  12 x 2 = 24

Mesa 91 x 91
   + 25   25
   ———————————
Corte 116   116

2 Cosa alrededor de la tela, usando zigzag o pespunte. Pegue con alfiler el fleco, con la parte inferior del encabezamiento a lo largo del borde, empezando en la mitad de un lado.

COMO COSER UN CAMINO DE MESA CON FLECOS

1 Determine la longitud del corte del camino de mesa, paso 1 al frente. Corte un rectángulo de tela de 40,5 cm (16") de ancho y para determinada longitud, corte el rectángulo del forro, de 40 cm (15¾") de ancho y a la misma longitud de la tela. Pegue con alfiler los rectángulos, por los lados derechos, emparejando los bordes en los lados largos. Cosa 1,3 cm (1/2") en los bordes largos. Voltee por el derecho; planche.

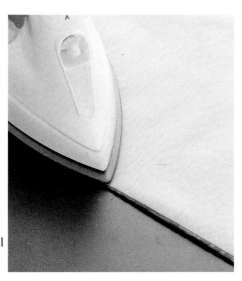

2 Marque un extremo del camino en los lados largo y corto a 25,5 cm (10") de las esquinas. Trace líneas diagonales a lo largo de las esquinas, entre los puntos marcados. Recorte los sobrantes. Pegue las capas con fileteador o zigzag.

3 Fije con alfiler el fleco a los extremos cortos, con la parte inferior del encabezamiento a lo largo del borde de la tela. Acomode el encabezamiento en las esquinas, dejándolo un poco suelto sin templar.

4 Doble 2 cm (3/4") en los extremos del encabezamiento. Cosa a lo largo de la parte superior e inferior del encabezamiento, redondeando en las esquinas.

3 Junte al sesgo las esquinas metiendo el exceso al lado izquierdo de la esquina bajo el pliegue en el encabezamiento al lado derecho; así el encabezamiento no queda aprisionado en el pie prensador cuando cosa.

4 Doble hacia adentro 2 cm (3/4") al final de la parte de arriba. Empareje esos dobleces. Cosa los orillos superior e inferior con la máquina, y las capas gruesas de los dobleces de las esquinas.

INDIVIDUALES HEXAGONALES

Los individuales hexagonales son un agradable cambio de los rectangulares corrientes. Un galón o cinta cosidos al sesgo en las esquinas le dan un terminado atractivo, y llaman la atención por su forma única.

Para un aspecto coordinado, utilice estos individuales con las cenefas en puntos triangulares (pág. 120) en el comedor. Se agregan botones y borlas a los puntos centrales a cada lado como un toque más refinado.

COMO COSER UN INDIVIDUAL HEXAGONAL

MATERIALES (para cuatro individuales)

- 95 cm (1 yd) de tela para la parte superior de los individuales hexagonales.
- 95 cm (1 yd) de tela para los forros de los individuales.
- 4,15 m (4½ yd) de galón, cinta de grosgrain u otro adorno plano adecuado.
- Dos botones y dos borlas para cada individual, si se desea.

INSTRUCCIONES PARA CORTAR

Haga el patrón para el individual como en el paso 1. Para cada individual corte una parte superior y un forro, utilizando el patrón. Planche al vapor el borde por si encoge; corte dos largos de 51 cm (20").

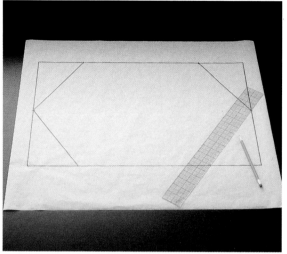

1 Trace un rectángulo de 38 x 58,5 cm (15" x 23"). Marque el centro de cada lado corto. En los largos señale puntos a 12,5 cm (5") de las esquinas. Trace las líneas de corte desde las marcas del centro a los lados cortos hasta los puntos marcados en los lados largos. Recorte el patrón.

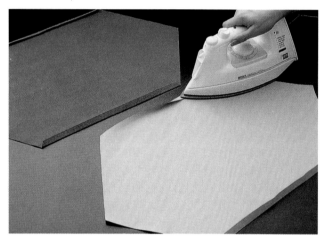

2 Recorte un individual para la parte superior y el forro, utilizando el patrón. Planche a 1,3 cm (1/2") sobre los bordes superior e inferior de ambas piezas.

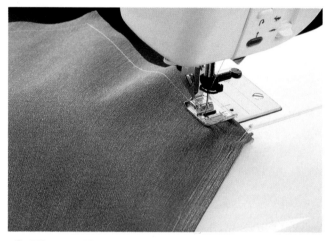

3 Fije con alfileres la parte superior del individual, juntos los derechos, a lo largo de las señales, emparejando los bordes; alinee los pliegues en los bordes superior e inferior. Haga costuras de 1,3 cm (1/2") en los lados indicados.

4 Corte diagonalmente por las esquinas. Planche los márgenes de las costuras del individual hacia adentro del mismo.

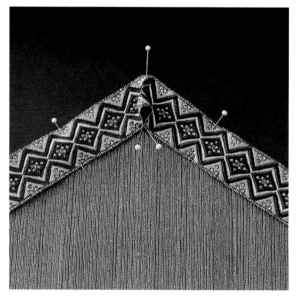

5 Coloque alfileres a cada lado del adorno en la parte superior del individual, emparejando los bordes del adorno y del individual. Ponga alfileres en el pliegue para formar la esquina.

6 Quite el adorno. Coloque los dos lados derechos juntos. Cosa y forme la esquina empezando de abajo hacia arriba.

7 En la esquina recorte el adorno dejando unos 6 mm (1/4") en la costura.

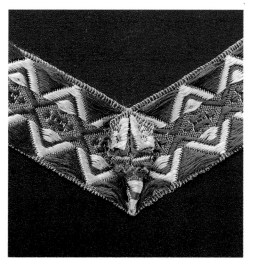

8 Planche la costura abierta teniendo el cuidado de dejar la punta plana.

9 Coloque alfileres para sostener el adorno o cinta y doble las puntas arriba y abajo, hacia adentro, entre la tela y el forro; planche.

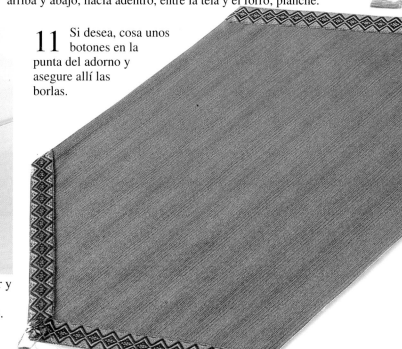

11 Si desea, cosa unos botones en la punta del adorno y asegure allí las borlas.

10 Coloque alfileres sujetando la parte superior y el forro tanto arriba como abajo. Cosa alrededor de todo el individual sujetando el adorno. Pase otra costura por la parte inferior del adorno.

PORTACUBIERTOS DECORATIVOS

Organice sus cubiertos en el bufé de forma práctica y decorativa. Este portacubiertos se adorna con encaje si lo prefiere, dividido en 24 compartimientos, quedando así separados los cubiertos para cada invitado. Hecho básicamente con cuatro capas de tela cortadas en semicírculo, el forro tiene unas costuras que lo dividen en tres hileras con ocho bolsillos. Para los cubiertos de mango muy grueso es preferible dividirlo en 6 en vez de 8 bolsillos, quedando así 18 compartimientos más amplios.

MATERIALES

- 70 cm (3/4 yd) de tela.
- 5,95 m (6½ yd) de encaje de 6,5 ó 7,5 cm (2½" a 3") de ancho. Opcional.

*El **portacubiertos decorativo** puede ser sencillo como se ve arriba o con arandela bordada como el de la izquierda para un estilo romántico victoriano.*

COMO HACER UN PORTACUBIERTOS DECORATIVO CON ARANDELA BORDADA

1 Dibuje cuatro semicírculos sobre un papel, cada uno con un radio de 15, 20,5, 25,5 y 30,5 cm (6", 8", 10" y 12"). En cada uno de los lados rectos agregue 1,3 cm (1/2") para las costuras. Corte un semicírculo de cada tamaño en la tela. Las piezas tendrán las letras A, B, C y D como referencia empezando con la más pequeña hasta la grande.

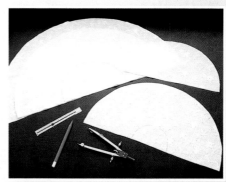

2 Marque cada una de las piezas de tela por el derecho. En la pieza B marque suavemente un arco de 5 cm (2") desde el centro; en la pieza C marque de nuevo un arco de 10 cm (4") desde el centro.

(continúa)

3 Coloque la arandela del lado curvo de las piezas A, B y C poniendo los lados derechos juntos. Recoja el borde inferior de la arandela y sujete con alfileres. Deben quedar parejos el borde de la arandela y los lados rectos del semicírculo. Cosa al pie del recogido.

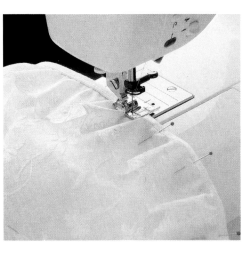

4 Voltee el encaje o arandela al derecho, planche las costuras hacia la tela. Unos 3 mm (1/8") hacia afuera echar la costura.

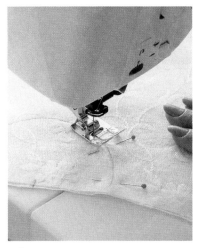

5 Repita los pasos 3 y 4 con la pieza D haciendo un doble doblez angosto para el dobladillo de la arandela de 1,3 cm (1/2"). Termine así el principio y el final de estas arandelas.

6 Coloque la pieza B sobre la pieza C poniendo los dos lados al derecho juntos y emparejando los bordes y los dos puntos del centro. Coloque alfileres y cosa alrededor del círculo en la pieza B.

7 Coloque la pieza A sobre la B con los lados al derecho hacia arriba, emparejando los bordes rectos y los puntos centrales. Coloque la pieza D sobre la A centrando los puntos. Ponga alfileres para sujetar todas las distintas capas de tela en los lados rectos.

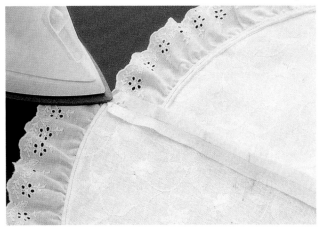

8 Haga una costura recta de 1,3 cm (1/2") por el derecho. Planche la costura abierta.

9 Voltee la pieza D hacia el revés del forro para cubiertos. Planche.

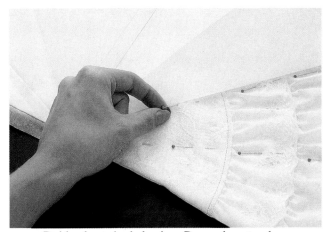

10 Voltee las dos capas superiores descubriendo así el círculo de la pieza C. Coloque alfileres alrededor del círculo sujetando las dos capas inferiores. Cosa alrededor del círculo teniendo el cuidado de no agarrar las capas superiores.

11 Doble el patrón de la pieza D por el centro, luego en cuartos y en octavos. Pase las marcas del patrón a la pieza D usando alfileres. En esta forma quedarán marcados los bolsillos para los cubiertos.

12 Cosa sobre la primera raya del borde de afuera, luego la siguiente hacia adentro, llegando todas al centro. Dándole la vuelta a la tela siga cosiendo cada línea en la misma forma hasta coserlas todas. Remate.

13 Adorne el centro del forro con un lazo de cinta, un adorno de encaje o flores, luego inserte los cubiertos en los compartimientos.

PORTACUBIERTOS DECORATIVO SIN ARANDELA BORDADA

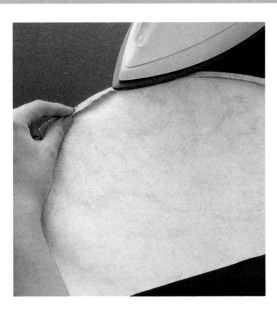

1 Siga los pasos 1 y 2 de la pág. 63 y corte los semicírculos de 20,5, 25,5, 30,5 y 35,5 cm (8", 10", 12" y 14"). Cosa el círculo de cada una de las piezas con zigzag. Planche y haga un dobladillo de 6 mm (1/4") hacia adentro. Cosa.

2 Siga los pasos 6 a 13, anteriores. Recorte las costuras de la pieza D cerca de las piezas curvas de la C. Doble hacia atrás y dobladille.

CARPETAS PARA BANDEJAS

ara que se vea más fina y especial, haga la carpeta exactamente del tamaño de su bandeja de plata, electroplata o del charol del desayuno. Escoja lino o tela de algodón para hacer una carpeta que se vea fresca y sea lavable. Cuando escoja el encaje para una redonda u ovalada, búsquelo angosto, terminado con curvas o puntas hacia afuera, pues así es más fácil darle la forma alrededor de un óvalo o de un círculo.

MATERIALES

- Lino de peso suave o tela de algodón.

- Encaje de terminación plana con borde recto y otro redondeado, más 95 cm (1yd) extra para dar formas a lo largo de la curva o la formación de esquinas.

COMO HACER UNA CARPETA
CON ESQUINAS REDONDAS

1 Coloque el papel calcante sobre su bandeja; trace la forma de ésta con lápiz para formar el patrón, utilizándolo luego para cortar la tela de la carpeta.

2 Recoja el encaje pasando un hilo fuerte por el borde liso, si el encaje no viene previamente recogido.

3 Coloque el encaje sobre la carpeta e iguale ambos bordes. Recoja el encaje para que quede plano en las curvas. Coloque los alfileres verticalmente; al terminar sobreponga la punta del encaje 1 cm (3/8") sobre el otro. Planche.

4 Cosa a máquina sobre la parte inferior del encaje empezando donde quede la unión y usando la puntada en zigzag más fina.

5 Recorte la tela que sobra debajo del encaje a 3 mm (1/8") de la costura. Donde se une el encaje recorte lo que sobra cerca de la costura.

CARPETA CON ESQUINAS CUADRADAS

1 Haga su patrón y corte la tela con los bordes rectos como para un charol rectangular. Como en el ejemplo anterior en frente, coloque el encaje formando un ángulo como se indica aquí.

2 Corte las tiras de encaje ligeramente más largas y coloque el encaje con el borde de afuera a la misma altura de la carpeta igualándolos. Coloque los alfileres.

3 Cosa a lo largo de la parte inferior con puntadas de zigzag. Recorte la tela sobrante. Cosa las dos capas de encaje en las esquinas de adentro hacia afuera, y corte los sobrantes a ras de las costuras.

OTRAS IDEAS PARA MANTELES

Mesa de vidrio con luz indirecta. *Poner una lámpara con reflector debajo de la mesa. La luz le da reflejos cálidos al mantel de encaje que ha sido colocado sobre un fondo de algodón.*

Un tapete de tejido burdo se puede usar en vez del mantel tradicional: su textura crea un ambiente rústico y confortable.

Este mantel de encaje (Battenberg) en lino fino se colocó, drapeado suavemente, sobre una escalinata. Debajo hay otro mantel de damasco con flecos (pág.54). Este conjunto muy elegante se presta para exhibir una variedad de postres.

La manta mexicana sirve de fondo para darles realce a los jarrones y canastos de este país, por lo cual se logra un encanto especial y autóctono.

Con estas tiras entrelazadas y de diferente colorido se puede hacer un arreglo muy novedoso.

Accesorios
decorativos para
la mesa

DECORACION CON FLORES FRESCAS

Las flores frescas le dan un toque de lujo al arreglo de la mesa. Ya sean recogidas en su jardín o compradas en la floristería, de cualquier modo; frescas son fáciles de arreglar si se siguen estas instrucciones. Colóquelas sobre los candeleros (pág. 74) en forma de corona en el centro de la mesa (pág. 76) o en cualquier elemento original (pág. 80).

En la lista que damos a continuación encontrará flores que duran frescas varios días, por lo cual son excelentes para hacer los arreglos con anticipación; si es el caso, escoja flores compactas.

Cada día remplace el agua de la vasija con agua fresca y vaporice los capullos en el arreglo para aumentar el tiempo de frescura. Pero no lo haga con las orquídeas o plantas carnosas porque les salen manchas color marrón.

CONSEJOS PARA USAR FLORES FRESCAS

Corte el tallo de las rosas diagonalmente entre agua con un cuchillo bien afilado. Cuando no se hace así, se forman burbujas en la parte inferior del tallo, lo cual impide que suba el agua.

Las flores con tallos leñosos duran más si se les da un golpe en el tallo con un martillo a unos 3,8 a 5 cm (1½"-2") de altura para facilitar la absorción del agua, como en las ramas de árbol con flor. Para girasoles basta con un golpe suave.

Corte los tallos de la mayor parte de las flores en diagonal usando cuchillo muy afilado, para aumentar la absorción del agua. Quiebre el tallo de los crisantemos.

Quite el polen de los lirios extrayendo el estambre, pues al caer el polen destiñe los pétalos de los lirios y mancha los manteles.

FLORES FRESCAS QUE PERDURAN

VARIEDAD	COLORES	DURACION
ALLIUM	Púrpura y blanca	10 a 12 días
ASTROMELIAS	Varios	8 a 10 días
ASTERINAS (reina Margarita)	Moradas y blancas	8 a 10 días
GASA	Blanca	7 a 14 días
CLAVELES	Varios	7 a 14 días
CRISANTEMOS	Varios	10 a 12 días
FRESIAS	Amarillas, moradas, rosadas, blancas	5 a 7 días
FLORES DE ARBOLES FRUTALES	Varios	10 a 14 días
AVE DEL PARAISO	Roja y rosada	8 a 10 días
BREZO COMUN	Púrpura y malva	10 a 14 días
LIATRIS	Púrpura y blanca	7 a 10 días
LIRIOS	Muchos colores	7 a 10 días
ORQUIDEAS	Muchos colores	5 a 10 días y más
ROSAS	Muchos colores	5 a 7 días
ESTRELLA DE BELEN	Blanca	10 a 14 días
SIEMPREVIVA	Muchos colores	14 a 21 días
GIRASOLES	Amarilla y/o café	14 a 21 días
MILENRAMA	Blanca y amarilla	10 a 14 días
CLAVELLINAS	Azules y rosadas	8 a 10 días
FORSYTHIA	Amarilla	12 a 14 días

ARREGLOS FLORALES CON CANDELEROS

Las flores frescas, los candeleros y las velitas altas le dan un toque de elegancia a su mesa para una ocasión muy formal. Está hecho con rosas, estrellas de Belén, hojas de helechos, caspia y clavellinas. Este arreglo se ve delicado y con mucho colorido. Puede sustituir las flores y los materiales por otros que le agraden, pero es importante tener en cuenta la proporción en general de los materiales.

MATERIALES

• Candeleros de cobre y sus velas.

• Rosas, estrellas de Belén, helechos, clavellinas y caspia.

• Oasis soportes para las flores. Soporte plástico para las velas.

• Greda para flores. Alambre floral No. 24. Cortafríos.

COMO HACER UN ARREGLO FLORAL CON CANDELERO

1 Coloque una tira de greda alrededor del borde superior del candelero.

2 Remoje la armazón del oasis hasta empaparlo. Asegúrela en la parte superior del candelero con el alambre No. 24.

3 Arregle y coloque el soporte para la vela y acomódelo en el centro de la armazón.

4 Corte el tallo de las rosas de 2,5 a 3,8 cm (1" a 1½") de largo, cortando diagonalmente entre el agua con un cuchillo afilado. Introduzca los tallos en el oasis, entrelazando las flores.

5 Corte las estrellas de Belén de 2,5 a 3,5 cm (1" a 1½") de largo al sesgo, con cuchillo. Introduzca el tallo en el oasis intercalando las flores, dejando colgar un poco las de abajo.

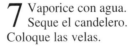

7 Vaporice con agua. Seque el candelero. Coloque las velas.

6 Corte las hojas de helechos, el follaje y las clavellinas al sesgo. Colóquelas en el oasis, rellene los espacios vacíos con el follaje y agregue las clavellinas para darle más color.

CORONA PARA
LA MESA

Los centros de mesa de flores naturales le dan vida y colorido a su mesa. Esta corona se arma fácilmente cubriendo una base redonda de oasis con hojas y flores. Colocando un velón grande en el centro de la corona, se verá espectacular el arreglo en su mesa de comedor o en un bufé. Si desea, cambie la combinación de flores colocando las que mejor se adapten a su decoración.

MATERIALES

- Hiedra.
- Otras hojas de enreda-dera.
- Rosas.
- Fresias.
- Siempreviva morada.
- Ramas secas muy finas.
- Helechos.
- Musgo.
- Oasis de floristería. Ganchos para flores.
- Velones para el centro de la corona.

COMO HACER UNA CORONA
CON FLORES FRESCAS

1 Sumerja el oasis en agua hasta que absorba gran cantidad y pese. Moje el musgo y cubra con él el oasis. Asegúrela con ganchos para flores.

2 Coloque la hiedra. Asegúrela con los ganchos. Luego las hojas de helechos. Si es necesario, abra con un cuchillo unos pequeños orificios para facilitar la hechura.

3 Corte las ramas secas del largo deseado e introduzca las dos puntas en el oasis manteniendo las curvas de las ramas, colocándolas a su gusto, esparcidas.

4 Corte las rosas más o menos de 5 cm (2") de largo debajo del agua y diagonalmente con un cuchillo afilado. Introduzca el tallo en el oasis esparciéndolas en forma regular.

5 Corte las fresias 5 cm (2") de largo diagonalmente e introduzca el tallo en el oasis, ordenándolas como las rosas; repita con la siempreviva, rellenando los espacios vacíos.

6 Vaporice con agua fresca. Coloque la corona sobre papel periódico por varias horas para que éste absorba la humedad o sobre una bandeja. Coloque las velas en el centro.

CUERNO DE LA ABUNDANCIA CON FLORES SECAS

Dele un ambiente de otoño a su fiesta con esta cornucopia o cuerno de la abundancia, decorada con profusión de elementos secos. Se consigue una gran variedad de ramas y frutas en distintos colores y texturas.

Una decoración muy llamativa y especial se logra usando rosas disecadas, trigo, frutas con las vainas, uchuvas secas y hojas secas en vez de las mazorcas y calabazas tradicionales. Para un mejor contraste en textura use las frutas de látex que se consiguen ahora y tienen aspecto muy natural. Cuando arme este arreglo llene la cornucopia con oasis y espuma floral cubierta con musgo, luego coloque los distintos elementos disecados en la espuma, poniéndolos por capas, poco a poco.

MATERIALES

- Cuerno de la abundancia o cornucopia en mimbre.

- Oasis o foam para arreglos florales secos. Musgo sintético o seco.

- Hojas de otoño disecadas, flores naturales disecadas como rosas, ramas y follaje.

- Frutas artificiales como uvas, manzanas o cerezas.

- Alambre # 20 para floristería. Ganchos en U.

- Estacas o palillos con alambre para floristería. Pistola para pegar con goma. Cartucho de goma.

COMO HACER UN CUERNO PARA CENTRO DE MESA

1 Corte el oasis con un cuchillo de sierra acomodándolo en el interior del cuerno, introduzca un alambre por debajo para asegurarlo.

2 Coloque un pedacito de papel doblado encima del oasis, entre las dos puntas de alambre, retuérzalo para sostener el cartón y no dañarla con el alambre.

3 Cubra el oasis con musgo asegurándolo con los ganchos de floristería.

4 Introduzca los tallos de las hojas secas en el oasis, de tal forma que las hojas descansen sobre la mesa y luego siga organizando el resto de elementos secos.

5 Introduzca los ramos de uvas u otras frutas y asegúrelas de medio lado y sobre las hojas. Forme un manojo de trigo, asegúrelo con alambre a un palillo y colóquelo en el oasis encima de las hojas en el centro.

6 Haga un ramo con las rosas introduciendo los tallos en el oasis, muy juntos. Haga otros ramos con el material que queda e intercálelos.

7 Llene los espacios vacíos con hojas secas o ramas de uvas. Si es necesario use la pistola con goma caliente y fije cada elemento suelto, por ejemplo, las hojas que no ha podido fijar.

CENTROS DE MESA CON FRUTAS FRESCAS

Este frutero con pedestal sirve como base para el centro de mesa hecho con frutas. Por su altura se destacará y llamará la atención. Mezcle varias frutas frescas de distintos tamaños, pero será más llamativo y original si entrelaza unas ramas secas de enredadera y unas hojas verdes entre las frutas.

MATERIALES

- Frutas frescas como manzanas, peras, naranjas, bananos y uvas.

- Frutero con pata.

- Ramas secas de enredadera, hojas verdes frescas.

- Hojas para rellenar, helechos y hojas de verduras.

- Cinta con bordes alambrados.

- Bola de icopor de 15 cm (6") de diámetro.

- Arcilla para floristería, adhesiva o plastilina.

- Palillos largos alambrados (estacas de floristería).

COMO HACER UN CENTRO DE MESA CON FRUTAS FRESCAS

1 Corte la bola de icopor por la mitad y asegúrela sobre el florero con la plastilina.

2 Introduzca en el icopor las puntas de las ramas secas, dejando algunas medio caídas alrededor del frutero.

3 Introduzca los soportes de madera o estacas dentro de la manzana 2,5 a 5 cm (1" a 2"). Fíjelos sobre el icopor, haga un grupo de manzanas a un lado del frutero. En caso necesario, acorte los soportes si quedan largos.

4 Asegure en la misma forma las peras del lado opuesto a las manzanas. Coloque dos naranjas en el otro lado entre las manzanas y las peras.

5 Envuelva el alambre del soporte alrededor de un racimo pequeño de bananos e introduzca el soporte en el icopor, dejando caer los bananos fuera del frutero. Repita para el lado opuesto.

6 Ponga dos o tres hojas alrededor del soporte de madera asegurándolas con el alambre e introdúzcalo firmemente en el icopor. En los espacios vacíos entre las frutas, coloque unas hojas.

7 Para los racimos de uvas se procede en la misma forma con los soportes; se van colocando en distintos sitios hasta llenar los vacíos dejando colgar el racimo por los lados.

8 Si queda algún otro espacio vacío, rellénelo con hojas, helechos, etc. Arregle la cinta alrededor del frutero, envolviendo y rellenando los espacios vacíos en los bordes inferiores.

OTRAS IDEAS PARA ARREGLO DE MESA

Las ramas de hiedra se colocaron en forma natural sobre la mesa rodeando la sopera y los platos; también unos ramos de uvas para complementar este lindo arreglo.

Frutas y legumbres ahuecadas se utlizan como floreros (abajo).

Se colocó en la parte posterior del bufé una variedad de canastos en los cuales se exhibieron frutas, verduras y panes.

(continúa)

OTRAS IDEAS PARA ARREGLO DE MESA
(CONTINUACION)

Candeleros hechos con frutas doradas realzarán y darán un toque elegante a su mesa (derecha). Perfore al tamaño necesario para acomodar unas velas en unas frutas plásticas (de latex) y luego píntelas con aerosol en dorado.

Arreglo con materas de terracota. *En algunas de las materas se puso icopor para sostener las velas, luego musgo y algunas piedras para rematar.*

Se creó un arreglo rústico *(a la izquierda) poniendo unas pajas escalonadas y musgo. Los recipientes para los distintos condimentos están de acuerdo con esta decoración para mesa campestre y ecológica.*

DECORACION CON VELAS

Las velas dan un ambiente acogedor con su luz tenue, especialmente en la mesa del comedor; no las utilice únicamente para grandes ocasiones pues ellas producen una agradable atmósfera y le darán a cualquier reunión un ambiente cálido e íntimo. Escoja sus velas de acuerdo con la ocasión. Las velas altas serán para una comida elegante y si desea algo más íntimo prefiera las veladoras o los velones.

El recipiente para la vela (al frente) *fue recubierto con cobre perforado (pág. 88). Para darle más realce se le pueden agregar unos botones de vidrio o distintos adornos en las esquinas, pegándolos con la pistola para goma caliente. La luz brilla por los orificios perforados en el cobre.*

Vasos para veladoras adornados con botones de vidrio (derecha); *se consiguen en distintos colores y complementan los tonos del arreglo de su mesa, dándole un aspecto refinado y elegante a la vez.*

Para una decoración muy campestre y ecológica (abajo) *y para mayor impacto, reúna unos vasos con sus veladoras que han sido cubiertos con musgo, con ramas secas y hojas.*

COMO HACER UNA LAMPARA PARA VELADORA CUBIERTA EN LAMINA DE COBRE PERFORADO

MATERIALES

- Base redonda o cuadrada para veladora.
- Láminas delgadas de cobre; se consiguen en tiendas de artesanías.
- Adornos y botones de vidrio.
- Papel cuadriculado de 6 mm (1/4"). Papel de calcar.
- Tríplex delgado.
- Tijeras para cortar el cobre.
- Alambre de bronce delgado # 28.
- Martillo de caucho.
- Punzón o lezna.
- Papel de lija # 100; esponjilla de acero muy fina.
- Sellador acrílico en aerosol.

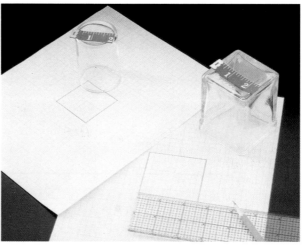

1 Mida la base redonda o cuadrada de la lámpara; dibuje un cuadrado, centrado sobre el papel cuadriculado, de la medida que usted tome agregándole 6 mm (1/4") por todos lados.

2 Agréguele a este cuadro el alto de las paredes de la base. Dibuje esos cuatro lados sobre el papel.

3 Ponga el tríplex sobre papel periódico para proteger la mesa. Asegure la lámina de cobre al tríplex. Ponga el papel de calcar y luego coloque el patrón sobre el cobre. Asegure con cinta adhesiva el patrón o dibujo. Con un lápiz repase el dibujo con lo cual quedará colocado sobre el cobre.

4 Quite el papel calcante y deje el papel cuadriculado y el cobre asegurados. Coloque el punzón sobre los puntos marcados en los cuatro lados. Dándole un golpe firme quedarán perforados. El centro se deja sin perforaciones.

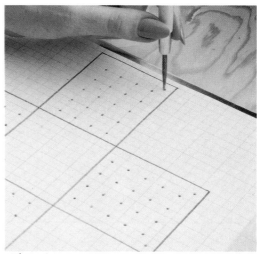

5 Perfore huecos en las esquinas exteriores a unos 6 mm (1/4") del borde, en los cuatro lados.

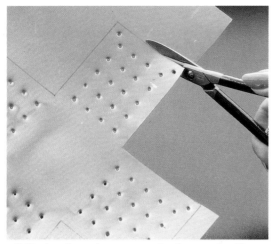

6 Retire el patrón, recorte el cobre por las líneas exteriores usando unas tijeras fuertes si no tiene unas especiales.

7 Deje bien pulidas las esquinas inferiores formando un ángulo de 3 mm (1/8") . Lije los bordes del cobre con el papel de lija # 100. Pase la esponjilla fina sobre el cobre para darle un terminado.

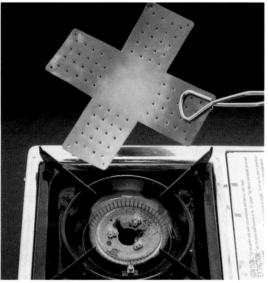

8 Si desea oxidar el cobre colóquelo sobre una hornilla. Lo debe sostener con unas pinzas de mango de caucho para proteger las manos del calor.

9 Aplique varias capas de acrílico en aerosol trasparente por ambos lados. Doble las cuatro esquinas hacia arriba usando una regla.

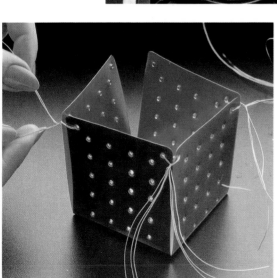

11 Coloque los adornos sosteniéndolos con el alambre y luego enrolle las puntas sobre un lápiz para encresparlas.

10 Enhebre las esquinas con tiras de alambre de bronce de 25,5 cm (10") de largo y retuerza el alambre para ajustar bien las esquinas.

COMO ADORNAR LAS BASES DE LAS VELADORAS
CON BOTONES DE VIDRIO

MATERIALES

- Botones de vidrio de colores.
- Vasito cuadrado o redondo.
- Pistola de goma caliente.

1 Pegue una hilera de piedras o botones de vidrio alrededor de la base del vaso.

2 Continúe pegando otra hilera intercalando las pepas. Deje las filas ligeramente imperfectas.

COMO ADORNAR LA BASE DE LAS VELADORAS CON RAMAS SECAS

MATERIALES

- 3 coronas de ramas de 5 cm (2") de diámetro en el centro.
- Vasito redondo.
- Adornos, si se desea.
- Pistola de goma caliente. Vasos de goma para fijar los adornos.

1 Ponga las coronas una por una alrededor del vaso.

2 Adorne con flores secas naturales asegurándolas con goma caliente.

COMO ADORNAR LA BASE DE LAS VELADORAS
CON MUSGO Y HOJAS VERDES FRESCAS

MATERIALES

- Base redonda o cuadrada para veladora.

- Musgo y adornos como granos, semillas y ramas secas o flores disecadas para la veladora cubierta con musgo.

- Hojas pequeñas verdes, frescas, que se consiguen en las floristerías. Rafia (paja natural muy fina que viene deshilachada) para amarrar las hojas.

- Goma o pistola para goma caliente.

1 **Base cubierta con musgo**. Colóquelo alrededor de la base con cuidado para que quede bien cubierta.

2 Aplique la goma en capas delgadas de un lado primero, presione el musgo hasta que quede bien adherido. La goma queda invisible una vez haya secado.

3 Proceda en la misma forma hasta cubrir los cuatro lados. Deje algunas partes descubiertas para que la luz se alcance a ver.

4 Si desea adorne con flores naturales secas, pegándolas sobre el musgo.

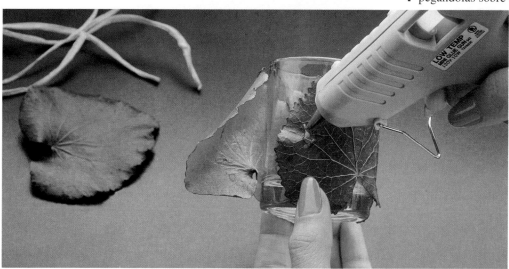

Veladora cubierta con hojas. Envuelva los vasos con hojas colocándolas un poco sobrepuestas. Fíjelas con un poco de goma caliente. No deje que sobresalgan las hojas arriba. Amárrelas con rafia.

Se pueden crear elegantes y finos accesorios con hojilla de oro. Si desea puede emplear una hojilla que imite el oro más fácil de aplicar y más económica. Existen también en imitación de plata y de cobre. Si se aplica en la forma tradicional la hojilla, da un brillo dorado similar al de los candelabros, en frente, pero para que se vean más antiguos como en la taza, se varía un poco la técnica de la hojilla; también se puede usar con un esténcil para formar un diseño como en la urna.

MATERIALES

PARA APLICAR LA HOJILLA DE ORO

- Imitación de hojilla de oro y adhesivo a base de agua. Se consiguen en tiendas de artesanías.

- Brocha para aplicar el adhesivo.

- Laca acrílica trasparente en aerosol.

PARA ANTICUAR O ENVEJECER

- Pintura acrílica o látex en negro o rojo como base o negro para manchar o vetear.

- Papel de lija # 100. Trapo.

PARA DISEÑO CON ESTÉNCIL

- Cinta de enmascarar para pintura.

- Un vidrio. Una cuchilla de bisturí.

COMO APLICAR LA HOJILLA DE ORO

1 Método tradicional para aplicar la hojilla de oro. Aplique una capa ligera y pareja del adhesivo con un pincel. Deje secar hasta que quede trasparente por una hora aproximadamente. La superficie quedará pegachenta pero no mojada.

2 Corte con las tijeras en cuatro pedazos la hoja imitación de hojilla. Con cuidado tome la hojilla en papeles de seda en que viene adherida sin tocarla directamente. Colóquela sobre el objeto y deslice el papel de abajo con cuidado. Apoyando suavemente con el dedo el papel superior, presione la hojilla sobre el adhesivo en el candelero.

(continúa)

3 Quite el papel de seda de encima. Con un pincel suave y seco con movimiento de arriba hasta abajo, presione suavemente la hojilla para que quede adherida; luego alísela con la brocha.

4 Continúe aplicando la hojilla sobreponiendo ligeramente la una sobre la otra; las partículas sobrantes caerán solas al cepillarlas con una brocha.

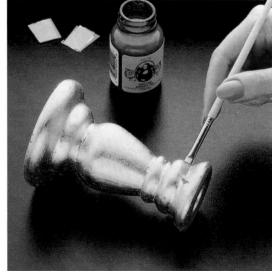

5 Rellene cualquier espacio pequeño que haya quedado sin cubrir aplicando un poco de adhesivo y pegando un pedacito de hojilla encima. Aplique acrílico trasparente con aerosol, para evitar que se dañe o se manche.

1 **Para envejecer la hojilla de oro.** Aplique la base del acrílico o pintura de látex roja o negra. Deje secar. Aplique una capa de adhesivo y luego la hojilla como en los pasos 1 a 3 (pág. 93).

3 Se puede motear o «salpicar» el objeto con pintura negra. Ensaye previamente esta técnica. Remoje un cepillo de dientes en pintura acrílica negra diluida o pintura negra de látex. Seque el exceso con una toalla de papel. Pase un palillo o el dedo sobre las cerdas del cepillo esparciendo las goticas sobre la superficie pintada. Aplique un terminado trasparente o acrílico trasparente en aerosol para sellar.

2 Deje secar una hora la hojilla y luego raspe la superficie con un pedazo doblado de lija # 100; en esta forma se alcanzará a ver el color de la base en algunas áreas. Limpie la superficie con un trapo para eliminar el polvo.

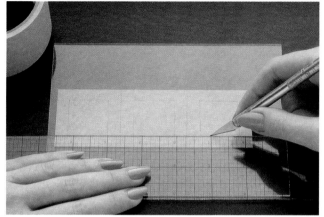

1 Haga un estencil con papel de enmascarar autoadhesivo colocando una tira sobre un pedazo de vidrio, y corte las formas que desea con una cuchilla de bisturí.

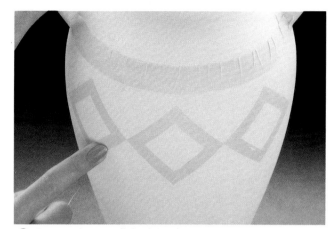

2 Prepare la superficie del objeto dejándola lisa y limpia. Quite las tiras de papel del vidrio y colóquelas sobre la superficie del objeto que ha sido preparado. Presiónelas bien en su lugar para que los bordes queden adheridos por todos lados.

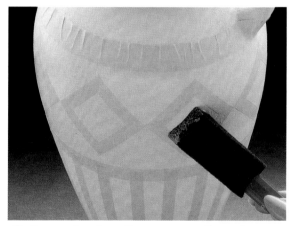

3 Con una brocha aplique una capa ligera de adhesivo para hojilla en los espacios sin enmascarar, cubriendo incluso la cinta. Deje secar el adhesivo una hora y quedará la superficie pegachenta pero no mojada.

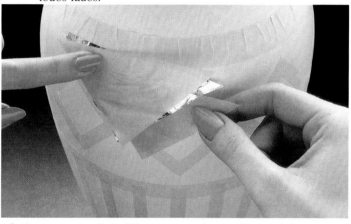

4 Corte una tira de hojilla un poco más grande que el área que va a cubrir; sostenga la hojilla entre los papeles de seda evitando el contacto directo con las manos. Deslice el papel inferior apoyando la hojilla con el papel superior; presione la hojilla en el área que no está enmascarada.

5 Quite el papel de seda de encima. Usando un pincel suave y seco, pasándolo de arriba hasta abajo, suavemente presione la hojilla para fijarla en su lugar; luego alísela partiendo del centro hacia los lados, asegurándose de que la hojilla quede bien adherida en los bordes.

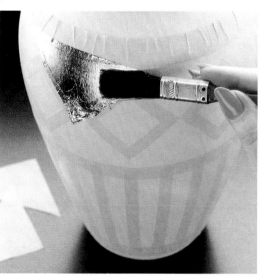

6 Corte la hojilla a todo lo largo de la tira de enmascarar con la cuchilla. Quite la cinta con cuidado; aplique acrílico en aerosol o un terminado trasparente sobre toda la superficie.

PLATOS DE
FONDO

Un plato de fondo es muy decorativo y es de mayor tamaño que el de la vajilla. Inicialmente se usaban estos platos para llevar los platos metálicos de la cocina al comedor. Aunque aún ahora los usen a veces con este mismo propósito, se ponen en la mesa para ocasiones especiales. En las comidas elegantes los platos de fondo se colocan en el puesto frente a cada persona antes de sentarse a la mesa, y los platos de sopa o los de las entradas se ponen encima del plato de fondo; luego éstos se retiran antes de pasar el postre. El uso de los platos de fondo empezó en la era victoriana cuando se consideraba de mala educación dejar la mesa sin un plato frente a un invitado entre plato y plato.

Los platos de fondo son decorativos y le dan colorido a la mesa. Su tamaño varía entre 28 a 38 cm (10" a 15") de diámetro. Hay que escoger unos que sean más grandes que los de la vajilla, de modo que se pueda ver el borde debajo de los platos de loza.

Aunque hay platos de fondo costosos, los de cobre o bronce son menos caros y se les puede dar un terminado más atractivo si se lijan suavemente. También se pueden conseguir unos de madera sin terminar, que no cuestan mayor cosa en las tiendas de artesanías. Pintándolos a su gusto o aplicándoles la hojilla de oro se logra un efecto muy atractivo.

A continuación se encontrarán las instrucciones para los distintos terminados. Para hacer los de hojilla de oro vea las instrucciones de las págs. anteriores (93 a 95).

Los platos de fondo se usan debajo del plato de sopa, de entrada o plato principal para las comidas elegantes. Permanecen en la mesa durante toda la comida hasta que se sirvan los postres. Los platos de fondo de bronce, al frente, se lijaron para darles un aspecto más interesante.

Los platos de hojilla de oro le dan mucha elegancia a la mesa. Las instrucciones para anticuarlos y aplicarles la técnica del esténcil se encuentran en las págs. 93 y 95.

Los platos con la técnica del color lavado (a la izquierda) son muy apropiados para una casa de campo.

COMO HACER MAS ATRACTIVO UN PLATO DE FONDO EN BRONCE

MATERIALES

- Platos de fondo de bronce.
- Papel de lija # 60.
- Trapo o badana.
- Acrílico trasparente en aerosol.

1 Haciendo movimientos circulares o en curvas disparejas, raye la superficie del bronce con el papel de lija # 60.

2 Lave la superficie para quitar el polvo. Seque usando un trapo que no deje pelusa. Aplique varias capas de acrílico en aerosol.

COMO APLICAR EL COLOR LAVADO A RAYAS SOBRE UN PLATO DE MADERA

MATERIALES

- Colores para pintura de artesanía en los tonos deseados.
- Papel de lija # 100, 150 y 220.
- Badana o trapo que no suelte pelusa.
- Cinta de enmascarar para pintores.
- Brocha de esponja.
- Laca trasparente o acrílico trasparente en aerosol.

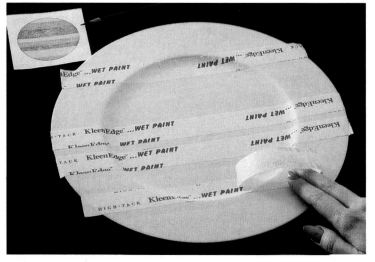

1 Pula los platos lijándolos en el sentido de las vetas con lija # 150 y luego con la # 220. Limpie el polvillo con la badana o trapo.

2 Escoja el color y el ancho de las franjas repitiendo cuantas veces desee. Use la cinta de enmascarar tapando ambos lados de las rayas del primer color.

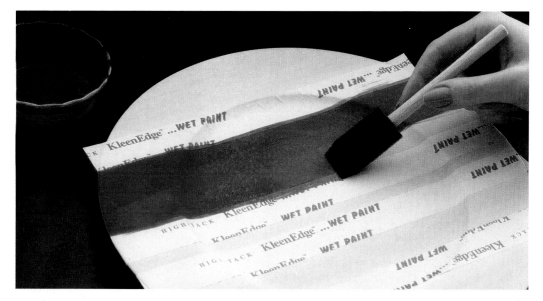

3 Disuelva la pintura. Una parte de pintura por dos de agua. Aplique suavemente la pintura de la primera franja con la brocha de espuma, pasándola por encima de la cinta de enmascarar pintando una capa ligera con poca pintura. Deje secar. Quite la cinta.

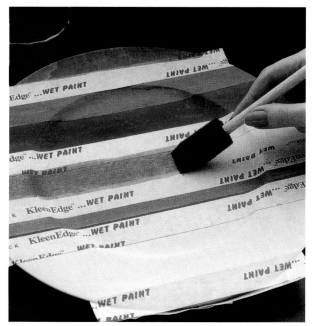

5 Lije el plato en el sentido de las vetas con la lija # 100 para darle un aspecto de uso o desgaste, especialmente en los bordes.

4 Repita los pasos 2 y 3 para cada franja y color, dejando secar cada vez.

6 Aplique sellador trasparente o acrílico en aerosol mate, varias capas si desea, lijando suavemente entre capa y capa.

ARGOLLAS PARA SERVILLETAS

Las argollas para las servilletas le darán el toque final a un arreglo en cada puesto de los invitados. Las servilletas se doblan, se enrollan o se ponen en abanico sosteniéndolas con argollas. Estas se pueden hacer rápidamente y como no necesitan mucho material, son poco costosas.

Las argollas de madera sin terminar se consiguen en las tiendas de artesanías y se pueden decorar con telas de tapicería o con galones para una reunión muy elegante, o simplemente usar unas de gamuza para una fiesta campestre. También se podrían hacer ensartando unas cuentas de color en una cinta o un cordón de cuero.

Al estilo vaquero (pág. 102) se hacen las argollas con gamuza y se adornan encima con la misma gamuza recortando y colocándole en el centro un pedazo de corteza y un estoperol para sostenerla.

Argollas para servilletas de tela de tapicería (pág. 103) adornadas con galones, para ocasiones muy elegantes.

Argollas hechas con cuentas, se hacen rápidamente ensartándolas en una cuerda metálica o alambre fino.

Con una cuchara antigua puede hacerse esta argolla para servilletas (arriba), muy novedosa, simplemente doblando la cuchara, colocándola alrededor de un tubo o palo; se le da forma golpeándola con un martillo de caucho o de madera.

Para las fiestas de fin de año se usa el molde en forma de estrella de cortar galletas (abajo). Instantáneamente uno se siente en navidad.

Las colombinas o las argollas hechas con dulces alrededor de las servilletas de papel en las fiestas infantiles.

Lazo de cinta personalizado (arriba). Es un detalle que llama la atención especialmente para un cumpleaños o evento especial. El nombre o mensaje se puede escribir con marcador.

Una flor fresca y cinta combinadas se ven muy lujosas (abajo). En las floristerías a veces se consiguen unos tubitos para el agua para conservar fresca la flor por largo rato.

COMO HACER UNAS ARGOLLAS PARA SERVILLETA ESTILO VAQUERO

MATERIALES

- Argollas de madera sin terminar.
- Pintura acrílica para artesanía en color bronce para pintar el interior de las argollas.
- Retazos de cartulina y de gamuza.
- Adorno redondo de gamuza.
- Corteza de árbol de 7,5 cm (3") de largo.
- Un estoperol decorativo.
- Goma para tela o colbón.

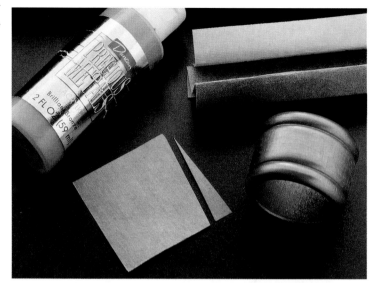

1 Lije la argolla de madera. Píntela por dentro y por fuera con la pintura metálica color bronce. Deje secar. Pinte la cartulina igual. Corte un triángulo angosto de la cartulina pintada y guárdela para después.

2 Corte tiras de gamuza de 1,3 cm (1/2") de ancho y 5 cm (2") más largo que la circunferencia de la argolla para servilleta. Introduzca la tira en las aberturas de la decoración de gamuza colocando ésta en el centro de la tira.

3 Ponga la corteza entre la tira de gamuza y el adorno redondo; coloque el triángulo bronceado entre la corteza y la tira, asegurando todo esto con el estoperol.

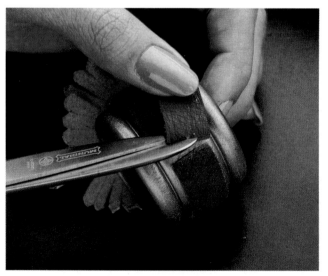

4 Envuelva la tira o correa alrededor de la argolla. Pegue dejando las dos puntas muy cerca. Recorte el sobrante.

COMO HACER UNA ARGOLLA CON TAPICERIA O BROCADO

MATERIALES

- Recortes de tela para tapicería o brocado.
- Galón.
- Color de acrílico para pintar el interior de la argolla.
- Argollas de madera.
- Colbón o goma para pegar tela.

1 Lije la argolla. Pinte el interior y los bordes. Corte una tira de tela para colocar alrededor de la argolla unos 1,3 cm (1/2") más angosto que ésta.

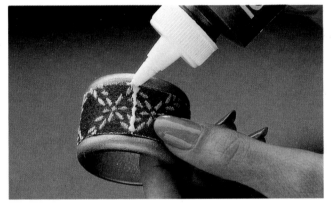

2 Pegue la tira de tela por fuera de la argolla emparejando los bordes arriba y abajo. Asegure la punta para que queden bien cerca la una de la otra. Recorte el sobrante de la tira. Selle las puntas con goma.

3 Pegue el galón alrededor tapando los bordes de la tela arriba y abajo. Recorte el exceso dejando pegadas las dos puntas. Remate la tela y el adorno en la parte de atrás.

COMO HACER UNA ARGOLLA PARA SERVILLETA CON CUENTAS

MATERIALES

- Variedad de cuentas decorativas.
- Cordones decorativos con rayón, metálicos o en cuero de 30,5 a 38 cm (12" a 15") de largo.
- Aguja para ensartar si es necesario.

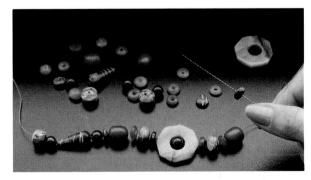

1 Ensarte las cuentas en la cuerda hasta completar un largo de 15 a 18 cm (6" a 7").

2 Anude las dos puntas de cordón juntas, corte el excedente del cordón (**a**). Si desea hacer otro estilo agréguele otras cuentas, formando así la parte delantera de la argolla (**b**).

Papel de regalo cortado en diversas formas; se pega sobre la tarjeta pequeña para la mesa.

Una espiga de trigo (arriba) o una flor seca pueden pegarse sobre la tarjeta con la pistola de goma caliente. Agregue una tira de papel decorativo para un mejor terminado.

Un abanico de papel (abajo) adorna esta original tarjeta.

COMO CORTAR UNA TARJETA PARA LA MESA

Estas tarjetas se usan en la mesa para facilitar a la dueña de casa la distribución de sus invitados. En ocasiones muy formales como matrimonios y banquetes, se usan por protocolo para saber quién preside la mesa y en qué orden se sientan los otros invitados de honor. En ocasiones menos formales las tarjetas ayudan a los invitados a encontrar sus puestos más fácilmente, mientras los dueños de casa atienden otros detalles. Para cualquier ocasión especial, estas tarjetas decoradas agregan un toque personal y decorativo en cada puesto.

Las tarjetas para la mesa se hacen fácilmente con distintos elementos, como papel Bond adornado con cintas, flores secas y encajes. Escoja el detalle decorativo para la tarjeta de acuerdo con el resto de la decoración de su mesa y el ambiente de su fiesta.

MATERIALES

- Papel grueso o cartulina.
- Motivo decorativo.
- Letras para pegar o letras recortadas de las revistas en diversos tamaños. Opcional.
- Cuchillo «exacto». Lápiz # 2. Regla metálica.
- Goma para papel, colbón o pistola de goma caliente para pegar los adornos.

1 **Para una tarjeta estándar,** corte un cuadrado de 9 cm (3½") de cartulina. Marque una línea por el centro con lápiz # 2. Márquelo con el bisturí pero no lo corte. Doble por la raya.

Utilice letras de diferentes formas y tamaños, recortadas de las revistas, para una decoración muy diferente.

Coloque estrellas doradas (a la izquierda), en diferentes tamaños, pegadas en distintos lugares. En la parte superior ubique una más grande para darle un terminado atractivo.

Las flores secas imprimen personalidad a sus tarjetas (derecha).

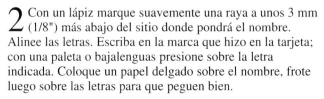

2 Con un lápiz marque suavemente una raya a unos 3 mm (1/8") más abajo del sitio donde pondrá el nombre. Alinee las letras. Escriba en la marca que hizo en la tarjeta; con una paleta o bajalenguas presione sobre la letra indicada. Coloque un papel delgado sobre el nombre, frote luego sobre las letras para que peguen bien.

Tarjeta con diseño que sobresale. Corte un cuadrado de papel grueso o cartulina de 9 cm (3½"). Marque la línea por la mitad con un lápiz # 2. Traslade o pegue el diseño sobre la tarjeta y deje sobresalir una porción del diseño por encima de la línea demarcada. Recorte la porción del diseño que sobresale. Doble la tarjeta por la línea marcada.

OTRAS IDEAS PARA ACCESORIOS DE MESA

Los pedazos de mármol o lajas se usan como portabandejas para proteger la mesa del calor o también para el pan y el queso en un bufé. Si quiere decorar con las lajas póngalas escalonadas, colocando un protector debajo para no dañar la mesa.

Se usa este matero de cobre con hielo para enfriar las botellas de vino blanco.

Use las frutas cítricas como recipientes. *Vacíelas y coloque una vela en el centro de la naranja o llene una toronja con helado de fruta.*

Estos charoles de paja planos, *individuales, le servirán para pasar a cada invitado un almuerzo completo.*

Decoración del comedor

AMBIENTE CON LUZ

Es muy importante planear la luz en el comedor. Para una buena iluminación es preferible distribuir la luz en distintos lugares del comedor, iluminando la araña solitaria colgada del techo. Se puede conseguir una luz tenue y más acogedora con muchas lámparas. Si coloca un reductor de luz para controlar su intensidad, usted podrá bajarla para una comida íntima o subirla cuando quiera crear un ambiente más alegre. Los apliques en la pared o las lámparas sobre las mesas también darán una luz agradable; aun de día contribuirán a hacer más grato el ambiente.

Esta araña de cristal le da brillo y esplendor a la mesa y complementa un comedor elegante.

La luz de las velas da un ambiente de intimidad y calor en su mesa. Considere la idea de poner más candeleros sobre el bufé, otra mesa o una repisa.

Una lámpara sobre la mesa auxiliar hará resaltar su juego de té y esas deliciosas tortas.

Los apliques en la pared proporcionan luz indirecta muy llamativa.

La lámpara de pie en la esquina proyecta un interesante juego de luz y sombra.

CORTINAS FACILES
DE HACER

Usted puede dar énfasis a los elementos que usa para colgar sus cortinas en el comedor y de esta forma únicamente necesitará colgar unas tiras de tela de lado y lado de la ventana.

Estas tiras se prestan para distintos arreglos y se pueden colgar suavemente del riel o drapearlas formando ondas, dejando bien largas las partes de arriba para que reposen en el piso y formen unos pliegues.

Cuelgue las cortinas de una varilla u otro elemento decorativo con argollas. También puede colocar unos ojetes en la parte superior de la tela, colgando de allí las argollas o si desea pasar la varilla por estos ojetes.

Como se puede ver en la pág. 115, el aspecto de la cortina cambia según la abundancia de tela que se use. Las ondas en la parte superior de la cortina varían de acuerdo con la cantidad de argollas u ojetes que se usen, así como del espacio que se deje entre unos y otros.

Son pocas las restricciones al escoger un estilo para las cortinas del comedor, pues por lo general no es necesario tener en cuenta la privacidad o la cantidad de luz. Esto permite gran cantidad de posibilidades. Por ejemplo, puede dejar las cortinas sin forrar o poner visillos de adorno de lado y lado y en esa forma queda el ventanal destapado. Tal vez prefiera forrar las cortinas para que tengan más cuerpo y evitar que se destiña la tela.

Una varilla terminada en punta de lanza atraviesa unos ojetes grandes (lado opuesto), aplicados en la parte inferior del dobladillo de arriba de una cortina forrada. Para este estilo se usa dos veces el ancho de la tela. Los ojetes se consiguen en los almacenes de carpas y allí los instalan.

Estas cortinas (recuadro al frente) se cuelgan con unas argollas de una varilla decorativa delgada. Quedarán espectaculares si usa tres anchos de tela y si coloca las argollas más espaciadas formando unas ondas profundas.

Ojetes (derecha) colocados en el centro del dobladillo superior de la cortina sirven para pasar la varilla y sostener la cortina. Para una decoración sencilla use sólo un ancho y medio de tela para cada lado.

MATERIALES

- Tela decorativa del grosor y peso de acuerdo con el estilo deseado.
- Tela para forro opcional.
- Varilla o bolillo decorativo.
- Los elementos necesarios que incluyen ojetes, argollas, y ganchos decorativos.

DIRECCION DE LOS CORTES

Determine el largo de la cortina ya terminada. Para saber el largo agregue 10 cm (4") y 2,5 cm (1") para un pliegue doble. Doble tanto arriba como abajo para los dobladillos más 30,5 a 51 cm (12" a 20") si desea que caiga en pliegues sueltos sobre el suelo.

Decida el ancho de las tiras (al frente). Multiplique el ancho del bolillo o varilla por los anchos que desee. Divida esa medida por el ancho de la tela para saber cuántos anchos de tela se requieren. Use todo el ancho o medio ancho.

INSTRUCCIONES PARA LA HECHURA DE LAS CORTINAS

1 **Cortina sin forrar.** Cosa las tiras necesarias a lo largo. Doble hacia adentro 2,5 cm (1") dos veces en la parte inferior. Planche. Cosa. Repita en la parte superior y luego a los lados.

2 Marque con alfileres los sitios donde usted desea poner los ojetes o argollas, espaciándolos uniformemente en la parte superior. Si se usan menos ojetes o argollas espaciándolas más, quedarán pliegues más grandes. Si desea más recogida use ojetes o argollas más juntas.

3 Puede chequear los pliegues asegúrenlos con alfileres en el borde de la mesa de la plancha, marcando la distancia deseada entre pliegue y pliegue. Señale dónde quedarán las argollas o los ojetes. Si piensa pasar la varilla por los ojetes éstos se deberán usar en número par.

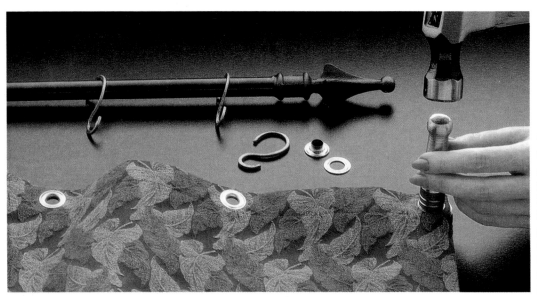

4 Coloque los ojetes en el borde de arriba de acuerdo con las marcas, siguiendo las intrucciones del fabricante. Ponga los ganchos en los ojetes o cosa las argollas o colóquelas si éstas tienen agarraderas. Cuelgue la cortina.

5 Arregle los pliegues de la cortina en el suelo.

Cortina forrada. Cosa las tiras si son varias. Coloque el forro y la tela con los dos lados al revés, juntos, emparejando los bordes. Planche y cosa un dobladillo doble, 2,5 cm (1") de ancho como en el paso 1 (en frente). Doble al tiempo las dos telas, como si fueran una; termine como en los pasos 2 al 5.

DIFERENTES ESTILOS DE ACUERDO CON EL ANCHO DE LA TELA Y LAS DISTANCIAS DE LAS ARGOLLAS

Distintos anchos de tela con igual espacio entre las argollas. Para una cortina casi lisa, se usa un largo y medio (izquierda); esto significa que el ancho de la cortina es un ancho y medio del de la varilla. Para una cortina más recogida, use dos veces el ancho (en el centro), dos veces y medio para la de la derecha. Las argollas van a la misma distancia 39,3 cm (15½").

Usando la misma cantidad de tela y espaciando las argollas en forma diferente. Para un aspecto uniforme y parejo en la parte superior de la cortina use más argollas (izquierda). Para aspecto suelto use menos argollas (centro). Para una cortina llamativa con ondas profundas use un mínimo de argollas (derecha). Todas estas cortinas tienen la misma cantidad de tela.

FESTONES SESGADOS

Estos festones, recogidos, hechos al sesgo y forrados, se usan mucho, son fáciles de hacer y muy decorativos. El patrón se saca con un cuarto de círculo. Ese drapeado que cae suavemente lo podrá hacer con una tela ligera, o si desea para una cortina más elegante, con tela pesada con adornos o flecos en los bordes.

Para colgar el drapeado cósale unas argollas o agarraderas en la parte superior colgándolas de la varilla o bolillo. Para que las argollas no se tuerzan coloque en la parte de encima, donde tocan el riel, un poco de plastilina.

Las siguientes instrucciones se dan sobre la base de un cuarto de círculo de 107 cm (42") de radio. El resultado dará buena caída de la tela de 91,5 cm (36") de largo en el centro. Los drapeados hechos con estas medidas se pueden usar en los bolillos o varillas de unos 91,5 cm (36") más o menos de largo, dependiendo del espacio entre argolla y argolla. Cuando la varilla es más larga, la caída de la tela será menos pronunciada en el centro, cuando la varilla es más corta la onda o caída será más larga. También se pueden variar los tamaños partiendo de círculos de mayor o menor tamaño. Para una ventana más grande se pueden usar dos o más ondas sobreponiéndolas ligeramente si lo desea. Las ondas drapeadas en esta forma se pueden usar solas como decoración o con cortinas de lado y lado. Si va a usar solas las cortinas se necesita un doble riel, uno para la cortina y el otro para la parte que va drapeada y sobrepuesta.

El adorno drapeado al sesgo se puede hacer con tela ligera o pesada. En frente, las ondas o drapeados hechos con telas ligeras se colgaron cerca entre sí. Las de abajo, más pesadas y adornadas con flecos, quedaron sobrepuestas.

MATERIALES (para una sola onda o drapeado)

- 1,15 m (1¼ yd) de tela no muy pesada.
- 1,15 m (1¼ yd) de forro para cortina de 2,3 m (2½ yd) de tela liviana.
- 1,85 m (2 yd) de fleco o adorno.
- 1 varilla o bolillo para cortina.
- Argollas con agarraderas o argollas de coser, 10 son suficientes para cada ancho, para una cortina de 91,5 cm (36").

INSTRUCCIONES PARA EL CORTE

Haga el molde para las ondas (abajo); para cada una corte una pieza de tela y otras para el forro o dos si el forro es liviano. Coloque el molde de modo que coincidan los lados rectos del molde y queden sobre los lados rectos de la tela. No debe cortar varias ondas doblando la tela; hágalas una por una para economizar material.

COMO HACER EL PATRON PARA UNA ONDA CORTADA AL SESGO

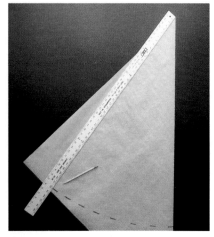

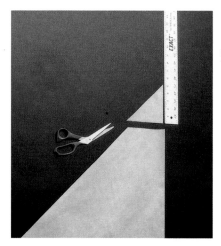

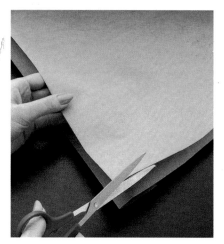

1 Corte 107 cm (42") cuadrados de papel; dóblelo al sesgo por la mitad. Dibuje un círculo entre la punta cuadrada y la esquina doblada, marcando la parte inferior de la onda. Corte por la línea marcada las dos capas de papel.

2 Marque la esquina doblada 12,5 cm (5") más abajo de la parte superior, dibuje una línea desde la marca hasta el lado opuesto perpendicular al dobladillo. Corte por esa línea.

3 Doble hacia adentro 5 cm (2") por la línea recta larga. En la parte de abajo corte el área que está doblada hacia abajo siguiendo la curva. Desdoble el molde.

COMO COSER UNA ONDA AL SESGO

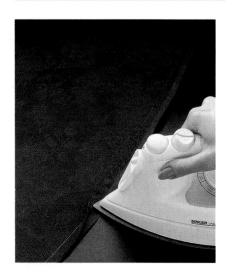

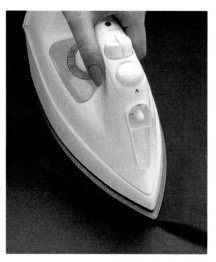

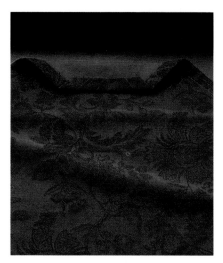

1 Corte la tela. Con alfileres sostengala con el forro, por el lado derecho; apúntelos a lo largo de la curva. Cosa dejando un dobladillo de 1,3 cm (1/2"). Planche.

2 Voltee la tela por el derecho. Planche el lado curvo.

3 Dobladille 2 veces 2,5 cm (1"), en los lados rectos, tela y forro al tiempo: cósalo. Repita en la parte superior, cosa el fleco en la parte curva.

COMO COLGAR UNA TELA DRAPEADA AL SESGO

1 Prenda 10 argollas en el lado recto de la onda corriendo una en cada punto y otras en cada esquina del interior. Luego las seis restantes espácielas regularmente entre las esquinas y la punta.

2 Cuelgue las argollas en la varilla, arregle las ondas del ancho y del largo deseados; ordene los pliegues a su gusto.

3 Ponga un poco de plastilina o greda en la parte superior, atrás en las argollas, para que se sostengan derechas en el riel.

Ondas o festones sesgados sobrepuestos en el centro. Ponga la argolla en la parte superior como en el paso 1 anterior, excepto en el sitio donde queda sobrepuesta la tela; allí se ponen dos argollas agarrando ambas telas. En este caso se utilizan 18 argollas.

La cinta de gro o gorgorán (gruesa) contrasta y acentúa los bordes de los triángulos de esta cenefa. Los botones y las borlas le dan un toque original.

Termine las cortinas del comedor con estos triángulos decorativos para la cenefa. Se pueden usar solos o puestos sobre las cortinas (pág. 113).

Colgada con argollas la cenefa cae formando unos pliegues naturales. Cambia el aspecto de acuerdo con la cantidad de tela que se use. La cenefa de aquí está hecha con dos anchos que es lo máximo aconsejable.

En frente, la cenefa tiene uno y cuarto de ancho.

Para crear ese aspecto de contraste en el color, agréguele una cinta de gorgorán, en el borde inferior y en los lados. Será aun más elegante si le agrega un botón y una borla en cada punta. Cualquiera de las dos alternativas sirve para hacer unos individuales hexagonales compañeros (pág. 58).

MATERIALES

- Para la tela y el forro 122 ó 137 cm (48" ó 54") de ancho; si se usan varios anchos agregar cada vez 60 a 70 cm (5/8 yd a 3/4 yd) para costuras.

- Cinta de gorgorán o adorno que sea plano. 2,75 ó 3,7 m (3 yd a 4 yd) para cada ancho de tela.

- Bolillo decorativo.

- Argollas de agarrar o argollas de coser para cortina.

METODOS PARA CORTAR

Determine el largo de la cenefa midiendo el ancho total, agregando 6,5 cm (2½") para las costuras de cada tira o paño de tela. Decida si las desea más o menos recogidas, pero no es aconsejable hacerlas de más del doble del ancho de la ventana. Multiplique el ancho total y divida por el ancho de la tela para saber cuántos anchos necesita comprar. Corte los paños necesarios de la tela y del forro igualmente, asegurándose de que el corte quede en línea recta. Haga un patrón para cortar la tela como en las págs. 121 y 122, pasos 1 al 4. Usando el patrón, corte las puntas inferiores en la tela y para el forro como en los pasos 5 al 7.

Cenefa con triángulo en punta, en una tela decorativa estampada se usa sobrepuesta en unas cortinas sencillas y fáciles de hacer (pág. 113).

COMO HACER UNA CENEFA CON TRIANGULOS TERMINADOS EN PUNTA

ANCHURA DEL ADORNO   53"
                      1"
                    ─────
                     52"

DISTANCIA ENTRE PUNTOS
52" ÷ 5 = 10 2/5

1 Recorte los bordes de las telas, mida luego el ancho y agréguele 2,5 cm (1") para cada costura. Para saber la distancia entre cada punto divida la medida anterior por 5. Le dará 5 puntas inferiores por cada ancho de la tela.

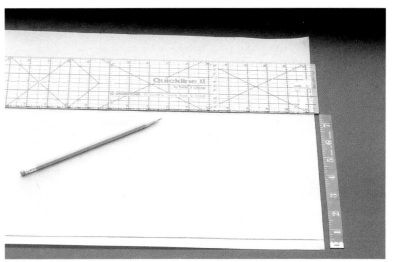

2 Corte tiras de papel de 25,5 cm (10") de largo de ancho igual al ancho de la tela descontando las costuras. Dibuje dos líneas a lo ancho de 1,3 cm (1/2") y 19,3 cm (7½") partiendo del borde inferior.

(continúa)

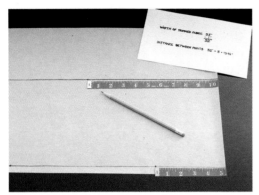

4 Dibuje una línea de arriba hasta abajo como se indica. Agregue 1,3 cm (1/2") para la costura de abajo de la cenefa. Corte al tiempo con el patrón.

3 Marque los ángulos de arriba de las puntas en la línea superior. Vaya espaciando la distancia según instrucciones en la pág. 121, paso 1. Marque la misma distancia en la parte inferior empezando en la mitad de esa medida a partir del borde de la tela.

5 Cosa las tiras. Ponga la tela sobre el forro con los dos frentes juntos emparejando los bordes. Coloque el patrón sobre el primer ancho con la punta hacia el borde de abajo; coloque una esquina del patrón a 1,3 cm (1/2") del borde de lado y la otra esquina en la línea de la costura. Marque la línea donde debe cortar.

6 Repita en el próximo ancho o paño, colocando las puntas del patrón sobre las costuras de los lados. Marque la parte inferior. Repita en cada paño.

7 Corte el ancho de la tela de modo que quede el diseño de la cenefa completo como está indicado. Agréguele 1,3 cm (1/2") para las costuras. Corte la cenefa y el forro por las líneas demarcadas; señale en la tela los puntos de referencia del patrón. Sujete las telas con alfileres.

8 Cosa por los lados dejando 1,3 cm (1/2") para las costuras dándole la vuelta a la tela y dejando la aguja sosteniéndola; deje abierta la parte superior. Recorte las costuras abajo y pique las puntas de arriba. Planche hacia el forro. Voltee al derecho. Planche. Si no tiene adorno suprima los pasos 9 a 11.

9 Planche de antemano al vapor el adorno o cinta para que encoja lo necesario. Sujete el adorno a un lado de la cenefa con el lado pulido o terminado en la parte de arriba. Empareje. Gire las esquinas con la aguja sosteniendo la tela. Marque el sitio donde se forma la esquina.

10 Siga fijando los alfileres alrededor donde va el adorno. Marque las esquinas abajo y arriba en las puntas. Suelte el adorno para plancharlo como queda explicado en los pasos 6 a 8 de la pág. 61.

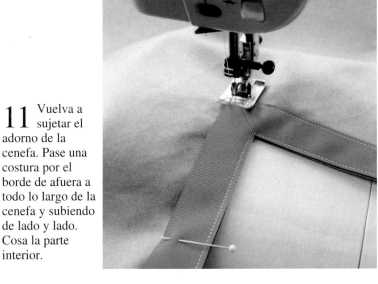

11 Vuelva a sujetar el adorno de la cenefa. Pase una costura por el borde de afuera a todo lo largo de la cenefa y subiendo de lado y lado. Cosa la parte interior.

12 Doble dos veces hacia adentro un dobladillo de 2,5 cm (1") cogiendo las dos telas. Planche. Cosa por el borde cerca al doblez.

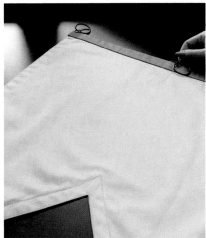

13 Cosa las argollas o ganchos en la parte de arriba de la cenefa, colocando una en cada esquina y una frente a cada punta inferior.

14 Cosa un botón en cada punto abajo y cuélguele si desea una borla. Si el orificio de la borla es muy pequeño, asegúrelo directamente al botón.

15 Cuelgue la cenefa en la varilla. Acomode los pliegues. Asegure las argollas con un poco de plastilina para que queden derechas arriba y no se tuerzan.

MAS IDEAS PARA EL COMEDOR

Pantallas. *Se aplicó una capa de pintura de aerosol. Luego se usaron sellos de caucho con tinta para imprimir los diseños.*

Una repisa larga *de madera sostenida por unos soportes de hierro, remplaza una mesa auxiliar para el comedor.*

Sillas de distintos estilos y platos disparejos complementan una decoración ecléctica.

En la vitrina se exhiben colecciones y obras de arte para crear un objeto curioso e interesante que sirve de tema de conversación.

(continúa)

Guirnaldas *de hojas y flores sobre la araña remplazan el florero de centro de mesa (derecha).*

Sobre estas repisas con hojilla *de oro envejecido (pág. 93), se pueden exhibir unos floreros con flores frescas y una escultura o cualquier otro accesorio decorativo (al frente). Estos elementos se pueden cambiar según la estación.*

Aquí vemos una mesa ovalada, 102 x 142 (40" x 56") que ha sido abierta como si se fueran a colocar las tablas de extensión, pero para mayor capacidad se puso una hoja de tríplex de 4 x 8 con las esquinas redondeadas sobre la mesa. Para poderla guardar, recorte el tríplex por la mitad y póngale bisagras. Proteja su mesa con una cobija para que no se dañe antes de poner el tríplex.

ARMAZÓN: Pieza o conjunto de piezas que sirve de soporte para armar algo.

BORLA: Conjunto de hebras, hilos o cordoncillos que sujetados por la mitad penden en forma de cilindro o se esparcen en figura de media bola.

BUFÉ: Comida, por lo general nocturna, comprende platos calientes y fríos, con que se cubre de una vez la mesa. También se llama así el conjunto de mesas donde se ofrecen platos en una reunión.

CANDELERO: Utensilio que sirve para mantener derecha la vela, y consiste en un cilindro hueco unido a un pie por una columnilla.

CENEFA: Lista sobrepuesta o tejida en los bordes de las cortinas de la misma tela u otra diferente.

COLLAGE: Pegamiento de diferentes materiales que, sobre determinada superficie, dan como resultado un elemento de decoración.

CORNUCOPIA: Vaso en forma de cuerno que representa la abundancia.

DAMASCO: Tela fuerte de seda o lana y con dibujos formados con el tejido.

DOBLADILLO: Pliegue que como remate se hace a la ropa en los bordes, doblándola un poco hacia adentro dos veces para coserla.

DRAPEAR: Plegar los paños de la vestidura y darles la caída conveniente.

GORGORÁN: Tela de seda con cordoncillos, también disponible listado y realzado.

GRO: Seda sin brillo y de más cuerpo que el tafetán.

OASIS: En las floristerías se denomina así al objeto, de metal o icopor, que se utiliza como armazón para elaborar adornos.

PATRÓN: Modelo que sirve de muestra para sacar algo igual.

PESPUNTE: Labor de costura, con puntadas unidas, que se hacen volviendo la aguja hacia atrás, después de cada punto, para introducir la hebra en el mismo sitio por donde pasó antes.

PICNIC: Comida campestre.

RAFIA: Género de palmeras que dan una fibra muy resistente y flexible.

INDICE

CREDITOS DEL LIBRO ORIGINAL EN INGLES

CY DECOSSE INCORPORATED

A COWLES MAGAZINES COMPANY

Chairman/CEO: Bruce Barnet
Chairman Emeritus: Cy DeCosse
President: James B. Maus
Chief Operating Officer: Nino Tarantino
Executive V. P. Creative: William B. Jones

DECORATING FOR DINING
& ENTERTAINING
Created by: The Editors of
Cy DeCosse Incorporated

Also available from the publisher:
*Bedroom Decorating, Creative Window
Treatments, Decorating for Christmas,
Decorating the Living Room, Creative
Accessories for the Home, Decorating
with Silk & Dried Flowers, Decorating
the Kitchen, Decorative Painting,
Decorating Your Home for Christmas*

Group Executive Editor: Zoe A. Graul
Senior Technical Director: Rita C. Arndt
Senior Project Manager: Joseph Cella
Project Manager: Tracy Stanley
Senior Art Director: Lisa Rosenthal
Art Director: Stephanie Michaud
Writer: Rita C. Arndt

Editor: Janice Cauley
Researcher/Designer: Michael Basler
Researcher: Linda Neubauer
Sample Supervisor: Carol Olson
Senior Technical Photo Stylist: Bridget
Haugh
Technical Photo Stylist: Susan Pasqual
Styling Director: Bobbette Destiche
Crafts Stylist: Coralie Sathre
Assistant Crafts Stylist: Deanna Despard
Prop Assistant/Shopper: Margo Morris
Artisans: Arlene Dohrman, Sharon Eklund,
Corliss Forstrom, Phyllis Galbraith, Kristi
Kuhnau, Linda Neubauer, Carol Pilot,
Nancy Sundeen
*Vice President of Development Planning
& Production:* Jim Bindas
Director of Photography: Mike Parker
Creative Photo Coordinator: Cathleen
Shannon
Studio Manager: Marcia Chambers
Lead Photographer: Mike Parker
Photographers: Stuart Block, Rebecca
Hawthorne, Rex Irmen, Mark
Macemon, Paul Najlis, Charles
Nields, Robert Powers
Contributing Photographers: Paul
Englund, Wayne Jenkins, Brad Parker
Production Manager: Laurie Gilbert
Senior Desktop Publishing Specialist: Joe
Fahey

Production Staff: Kevin Hedden, Mike
Hehner, April Jones, Michelle Peterson,
Robert Powers, Mike Schauer, Kay
Wethern, Nik Wogstad
Shop Supervisor: Phil Juntti
Scenic Carpenters: Rob Johnstone, John
Nadeau, Mike Peterson, Greg Wallace
Consultants: Kathryn Brown, Kyle
Clarkson, Kevin J. Dema, Mary
Dworsky, Letitia Little, Brian
Nordlie, Marsha Fineran Ritter
Contributors: American Efird; C. M.
Offray & Son, Inc.; Daubert Coated
Products, Inc.; Decart Inc.; Deco Art;
Duncan Enterprises; EZ International;
Fabby Custom Lighting; Folk Art;
Fuller O'Brien Paints; Plaid Enterprises;
Tolin' Station; Walnut Hollow; Waverly,
Division of F. Schumacher & Co.;
Wickes Furniture